CRÔNICAS DE EDUCAÇÃO 1

Cecília Meireles

CRÔNICAS DE EDUCAÇÃO 1

Apresentação e Planejamento Editorial

LEODEGÁRIO A. DE AZEVEDO FILHO

Coordenação Editorial

ANDRÉ SEFFRIN

São Paulo
2017

1ª Edição, Nova Fronteira, Rio de Janeiro 2001
2ª Edição, Global Editora, São Paulo 2017

Jefferson L. Alves – diretor editorial
Gustavo Henrique Tuna – editor assistente
André Seffrin – coordenação editorial, estabelecimento de texto e cronologia
Flávio Samuel – gerente de produção
Jefferson Campos – assistente de produção
Flavia Baggio – assistente editorial e revisão
Fernanda Bincoletto – assistente editorial
Elisa Andrade Buzzo – preparação de texto
Danielle Costa – revisão
Tathiana A. Inocêncio – projeto gráfico
Victor Burton - capa

Obra atualizada conforme o
NOVO ACORDO ORTOGRÁFICO DA LÍNGUA PORTUGUESA.

A Global Editora agradece à Solombra – Agência Literária pela gentil cessão dos direitos de imagem de Cecília Meireles.

CIP-BRASIL. CATALOGAÇÃO NA PUBLICAÇÃO
SINDICATO NACIONAL DOS EDITORES DE LIVROS, RJ

M453c
2. ed.
v.1

Meireles, Cecília, 1901-1964
Crônicas de educação, volume 1 / Cecília Meireles; organização Leodegário A. de Azevedo Filho; coordenação André Seffrin. – 2. ed. – São Paulo: Global, 2017.
il.

ISBN 978-85-260-2263-8

1. Crônica brasileira. I. Azevedo Filho, Leodegário A. II. Seffrin, André. III. Título.

16-30533 CDD: 869.91
CDU: 821.134.3(81)-8

18/02/2016 18/02/2016

global editora e distribuidora ltda.
Rua Pirapitingui, 111 – Liberdade
CEP 01508-020 – São Paulo – SP
Tel.: (11) 3277-7999 – Fax: (11) 3277-8141
e-mail: global@globaleditora.com.br
www.globaleditora.com.br

Nº de Catálogo: **3852**

Acervo pessoal de Cecília Meireles

Tudo, em suma, é sempre uma questão de educação.

(Da crônica "Questão de educação", publicada no
Diário de Notícias, "Comentário" de 5-2-1932.)

Mas, além de um sonho, esta "Página" foi também uma realidade enérgica que, muitas vezes, para sustentar sua justiça teve de ser impiedosa e pela força de sua pureza pode ter parecido cruel.
O passado não é assim tão passado porque dele nasce o presente com que se faz o futuro. O que esta "Página" sonhou e realizou, pouco ou muito – cada leitor o sabe –, teve sempre, como silenciosa aspiração, ir além. O sonho e a ação que se fixam acabam: como o homem que se contenta com o que é, e eterniza esse seu retrato na morte.

(Da crônica "Despedida", publicada no
Diário de Notícias, de 12-1-1933.)

Sumário

Apresentação – *Leodegário A. de Azevedo Filho* 13

Primeiro núcleo temático: *Conceitos gerais de vida, educação, liberdade, beleza, cooperação e universalismo*

A vida que não está sendo vivida 25
A extensão da nossa liberdade 27
O conceito de vida 29
Os intransigentes 31
Os que trabalham com alegria 33
Educação com "e" pequeno... 35
Questões de liberdade 37
Expectativa 39
Educação 41
Questão de educação 43
Libertação 45
Beleza 47
Vida prática 49
Cooperação 51
Educação, acima de tudo 53
Vida e educação 55
O sonho da educação 57
Equilíbrio 59
Despertar 61
Arte e educação 63
Aprender 65
Educação – palavra imensa... 67
Educação e trabalho 69
Vida sem limites 71

Folclore e educação 74
Gandhi e a educação 76
As escolas italianas 78
Veinemoinen 80
As cantigas de embalar de Gabriela Mistral 82
O homem mais forte 85
Idealismo 87
Justeza 89
Compreensão 91

SEGUNDO NÚCLEO TEMÁTICO: *Família, escola, infância e educação*
Escola e família: como fazer a sua íntima aproximação 95
[Triste cena] 97
As crianças pobres 99
Professores e pais 101
Relações entre o lar e a escola 103
Uma pergunta difícil 106
Círculos de Pais e Professores I 108
Círculos de Pais e Professores II 110
A infância e a sua atmosfera 112
Teoria e prática 114
Coisas que se devem combater 116
[Férias] 118
"Eduquemos a criança" 120
Educação nacional 123
Os que perturbam, sem o saberem... 125
Concursos de beleza 127
À margem da Reunião Educacional 129
O amor à infância... 131
Falsos motivos 133
Grandes e pequenos 135
A criança e o segredo 137
Nós e as crianças 139
Ouvindo as crianças 141
A escola para as crianças! 143
Os indícios da alma infantil 145

A infância ... 147
O interesse pelas crianças ... 149
Essa história de Papai Noel... ... 151
Desigualdades ... 153
A visão da infância ... 155
O mal de ter sido criança... ... 157
Como as crianças pensam ... 159
A infância e os preconceitos ... 161
Elas... ... 163
Os olhos observadores da infância ... 165
Direito à vida ... 167
O convite para a vida ... 169
O ambiente infantil ... 171
Pela criança! ... 173
A criança no lar ... 175
A imaginação maravilhosa da infância ... 177
Os donos da criança ... 179
Um grande amigo da criança ... 181
As crianças abandonadas ... 183
A tristeza de ser criança ... 185
A criança e a educação ... 187
Brincando de escola ... 189
Proteção à criança ... 191
Favorecendo a criança brasileira ... 193
Um por todos e todos por um ... 195
Santos Dumont e a infância ... 197
Uma sugestão ... 199

Cronologia ... 201

Apresentação

Esta série de volumes da obra em prosa de Cecília Meireles, conforme o planejamento editorial que nos foi solicitado pela família e pela Editora Nova Fronteira, volta-se para os textos dedicados à educação e ao folclore, dois temas de permanente interesse nas crônicas, cartas, artigos, conferências, entrevistas e ensaios por ela assinados. Por isso mesmo, a quantidade de material conservado pela família e posto à nossa disposição, ao lado do material levantado por pesquisadores da Editora Nova Fronteira, ao contrário do que inicialmente havíamos pensado, vai muito além dos limites normais de um livro, razão pela qual esta série de volumes será dividida em duas partes: uma de educação e outra de folclore.

Sobre educação, diante da imensa e intensa publicação de textos no *Diário de Notícias*, do Rio de Janeiro, de 1930 a 1933, em que Cecília manteve uma página diária com entrevistas, noticiário, artigos e uma coluna denominada "Comentário", e só aí há centenas e centenas de colaborações, na verdade mais de setecentos textos, o que nos coube propor, sendo por todos aceito, foi uma seleção preliminar de artigos, em busca das linhas mestras do pensamento de Cecília Meireles, artigos distribuídos em núcleos temáticos. Ainda sobre educação, a escritora fez conferências, participou de congressos e escreveu crônicas na coluna "Professores e estudantes", do jornal *A Manhã*, de 1941 a 1943, com ampla e benéfica repercussão nos meios educacionais brasileiros. Em momento algum, Cecília poupou críticas aos poderosos, sempre em defesa da educação e da cultura.

Como é evidente, tudo isso se insere no clima de uma época, que se foi formando antes mesmo da primeira metade do século XX e que se prolongou além dela, num vasto panorama, aqui apenas muito rapidamente delineado. Já em 1925, a Reforma Rocha Vaz, aliás alvo de muitas críticas, demonstrava interesse pelo ensino secundário e pelo ensino superior, criando-se então o Departamento Nacional de Ensino. Pouco depois, no Rio de Janeiro, a Câmara Municipal aprovava a Reforma Fernando de Azevedo, exatamente no dia 23 de janeiro de 1928. Data mais ou menos dessa época a construção e inauguração, ainda no Rio de Janeiro, do belíssimo prédio do Instituto de Educação, como depois foi chamado, modelar estabelecimento de ensino normal, aí diplomando-se e já saindo empregadas as professoras de nossas escolas primárias, depois de estudarem com os maiores mestres e grandes educadores daquele momento histórico. Como ninguém ignora, o Instituto de Educação e o Colégio Pedro II, na antiga capital da República, eram mesmo as nossas duas instituições educacionais verdadeiramente exemplares, como sempre me dizia Anísio Teixeira.

Com a Revolução de 1930 – e nela Cecília Meireles de início acreditou –, criando-se o Ministério dos Negócios da Educação e Saúde Pública, pelo decreto nº 19.402, de 14 de novembro do mesmo ano, a instrução pública teria novo impulso, nomeando o Governo Provisório o professor Francisco Campos para dirigir o Ministério recém-criado, de sua política educacional discordando Cecília Meireles, entre muitos outros. E tivemos, então, duas reformas: uma voltada para a implantação do Estatuto das Universidades Brasileiras, e outra comprometida com a reestruturação do ensino secundário. A essa altura, Fernando de Azevedo iria encabeçar o movimento de renovação pedagógica, consubstanciado no Manifesto dos Pioneiros da Educação Nova, publicado em 1932. Assinaram o Manifesto, além de Fernando de Azevedo, e isso entre muitos outros nomes ilustres, como o de Cecília Meireles, os eminentes educadores M.B. Lourenço Filho e Anísio Teixeira, ao lado de outros mestres como Roquette-Pinto, Francisco Venâncio Filho, Delgado de Carvalho, Afrânio Peixoto, Paschoal Leme e Sampaio Dória, numa relação apenas exemplificativa, sem esgotar a lista de notáveis signatários. O Manifesto, mais tarde publicado na *Revista Brasileira de Estudos Pedagógicos*, então mantida pela Associação Brasileira de Educação, repercutiu em todos os nossos estados. Considerando, conforme o pensamento sábio de Miguel Couto, que a educação era o primeiro problema nacional, de sua solução dependendo os demais problemas, entre os quais a própria e sempre inquietante questão econômica, novos e largos horizontes foram abertos para a reflexão vertical em todos os níveis de ensino. Cecília Meireles, no verdor dos seus trinta anos, bravamente lutava, como jornalista, pelas ideias do Manifesto.

Em linhas muito gerais, pois escreveríamos outro livro se fôssemos analisar miudamente a questão, o Manifesto procurava estabelecer, em bases teóricas, as diretrizes de uma política escolar centrada em novos ideais pedagógicos e sociais, planejando-se a educação para uma civilização em mudança, conforme a expressão de Kilpatrick, muito corrente na época. Procurava-se também melhorar o processo nas áreas urbana e industrial, criando-se laços de solidariedade nacional e mantendo-se respeito à democracia. Assim, procurava-se adaptar a educação, como a vida em geral, "às transformações sociais e econômicas, operadas pelos inventos mecânicos que governam as forças naturais e revolucionaram nossos hábitos de trabalho, de recreio, de comunicação e de intercâmbio". (A propósito, veja-se o livro *A reconstrução educacional no Brasil: ao povo e ao governo*. Manifesto dos pioneiros da Educação Nova, com uma introdução de Fernando de Azevedo, p. 7-30. Em apêndice: A nova política educacional. Esboço de um programa educacional extraído do Manifesto. São Paulo, Companhia Editora Nacional, 1932, p. 113-117.) O próprio Fernando de Azevedo, em seu conhecido livro *A cultura brasileira*, menciona os objetivos nucleares a serem atingidos:

> A defesa do princípio de laicidade, a nacionalização do ensino, a organização da educação popular, urbana e rural, a reorganização da estrutura do ensino secundário e do ensino técnico e profissional, a criação de universidades e de institutos de alta cultura, para o desenvolvimento dos estudos desinteressados e da pesquisa científica, constituíam alguns dos pontos capitais desse programa de política educacional, que visava a fortificar a obra do ensino leigo, tornar efetiva a obrigatoriedade escolar, criar ou estabelecer para as crianças o direito à educação integral, segundo suas aptidões, facilitando-lhes o acesso, sem privilégios, ao ensino secundário e superior, e alargar, pela reorganização e pelo enriquecimento do sistema escolar, a sua esfera e os seus meios de ação. (*A cultura brasileira*, Tomo III da 3ª edição. São Paulo, Melhoramentos, 1958, p. 175.)

Sem dúvida, o Manifesto – aliás bastante idealista –, procurou analisar, em amplitude, o problema da educação no Brasil, definindo princípios e traçando várias diretrizes para um programa de ação em todo o território nacional. Mas houve, como seria de esperar em matéria tão complexa e num país com as dimensões do nosso, discussões e sérias divergências entre grupos que se opuseram radicalmente, ou como se disse na época: "havia um conflito entre duas mentalidades, uma que lutava porque estava morrendo e outra que lutava porque estava nascendo". No livro anteriormente citado, Fernando de Azevedo assim se manifesta, já agora na p. 181:

> Elementos de vanguarda tomavam posições na imprensa do país, especialmente no Rio de Janeiro onde, no *Diário de Notícias*, de 1930 a 1933, Cecília Meireles, com suas crônicas finas e mordazes, e Nóbrega da Cunha, com sua atividade sutil e de grande poder de penetração, Azevedo Amaral, em *O Jornal*, com sua dialética persuasiva a serviço de um pensador robusto,

> e, mais tarde, J.G. Frota Pessoa, que desde 1933 fez de sua coluna no *Jornal do Brasil* uma trincheira de combate, pela sua lucidez implacável e pela segurança de seus golpes, traziam novos estímulos e acentos novos a essa campanha, cujo conteúdo não se esgotava sobre o plano cultural, e ao longo de cujo desenvolvimento vibravam com uma força sustentada em espírito moderno e em sentimento profundamente humano. (op. cit., p. 181.)

Na linha de algumas consequências, a nova política educacional levaria Fernando de Azevedo a ser convidado pelo interventor federal general Waldomiro Lima a ocupar o cargo de diretor-geral de Instrução Pública do Estado de São Paulo, aprovando-se, em 1933, um Código de Educação, realmente oportuno. O mesmo espírito renovador, um pouco antes, com Anísio Teixeira (1932-1935) no então Distrito Federal, e, novamente, em São Paulo, mas já agora com A. de Almeida Jr. (1935-1936), produzia os seus visíveis efeitos. Mas aqui, evidentemente, não nos cabe analisar, em extensão e profundidade, todas as realizações da Escola Nova no Rio de Janeiro e no resto do Brasil. (Abrimos parêntesis, para dizer que usamos a expressão Escola Nova em homenagem à memória do nosso mestre e caro amigo M.B. Lourenço Filho, que nos deu a honra de colaborar na revista do mesmo nome, por nós dirigida em 1951.) O percurso, realmente, seria muito longo e não queremos exorbitar as proporções normais desta simples Apresentação da série de volumes de crônicas sobre educação de Cecília Meireles, percorrendo os estados e chegando às Reformas de Gustavo Capanema e à construção do edifício do Ministério da Educação e Cultura, onde se conservam magníficos painéis de Portinari. Aqui apenas ressaltamos que o próprio Fernando de Azevedo, como vimos anteriormente, cita o nome de Cecília Meireles como de vanguarda e em primeiro lugar, ao se referir à ação de escritores e intelectuais na imprensa daquele momento histórico. E são essas crônicas "finas e mordazes" – nós preferimos dizer de fino espírito crítico, muita coragem e reflexão – que aqui se reúnem, em ampla amostra representativa. A seleção que nos coube fazer aí está, para melhor análise do leitor e para a inadiável recuperação dos valores de base humanística da educação brasileira, seriamente prejudicados por uma reforma profissionalizante, ou pseudoprofissionalizante, que afinal não teve condições de realizar-se, de tal forma que hoje nem se tem um ensino de base humanística, pelo qual tanto se empenhou Cecília Meireles, nem se tem um ensino verdadeiramente profissionalizante... As questões magnas do Manifesto eram: a laicidade e a nacionalização do ensino.

Outra consequência positiva, sobre os impulsos esclarecidos de Armando Sales de Oliveira, foi a criação da Universidade de São Paulo, pelo decreto de 25 de janeiro de 1943. A exemplo do que ocorria em São Paulo, o prefeito do então Distrito Federal, Pedro Ernesto Batista, contando com o apoio de mestres da altura de M.B. Lourenço Filho e de Anísio Teixeira, no ano de 1935, criaria a Universidade do Distrito Federal, onde aliás lecionou Cecília Meireles e da qual foi o primeiro reitor o escritor Afrânio Peixoto. As duas universidades reuniram um corpo docente altamente qualificado, inclusive com a participação de eminentes mestres estrangeiros. Por assim dizer, aquele foi um período áureo (e de saudosa memória!) na história da educação brasileira.

Pois bem, dentro desse vasto panorama, aqui ligeiramente esboçado, será preciso situar agora o pensamento e a ação de Cecília Meireles, sempre motivada por temas educacionais. Como linha mestra desse pensamento, tem-se que a reforma do homem é que pode concorrer para a reforma da sociedade, e não o contrário. Portanto, estamos diante de outra dimensão da fascinante personalidade da grande escritora, já que momentaneamente deixamos de ter diante de nós a poetisa neossimbolista do grupo da revista *Festa*, ou a "pastora de nuvens", escrevendo poemas líricos de renúncia e alta espiritualidade; nem estamos diante da cronista voltada para a poetização do cotidiano, como não se tem aqui a viajante-autora de crônicas deslumbrantes, em contato com várias pessoas e diferentes civilizações. Também não é a Cecília que tinha o "vício de gostar de gente", literariamente construindo uma obra em prosa orientada para a interpretação do homem, tanto os seres anônimos, como as grandes personalidades. Agora estamos diante do espírito crítico de uma jornalista combatente e preocupada com os problemas da educação do povo brasileiro, da escritora e da professora em campo de luta, defendendo valentemente as suas ideias – melhor seria dizer os seus ideais de educação – sempre com muita dignidade e reflexão crítica. Divergiu de grandes políticos e teóricos da época, pondo na defesa de suas posições todo o potencial de sua inteligente argumentação e da sua fina sensibilidade. O decreto do ensino religioso nas escolas, por exemplo, foi alvo de muitos questionamentos.

Cecília Meireles foi professora, aliás queridíssima pelos alunos, em todos os níveis e em todos os graus: primário, médio e superior. Na Escola Normal do Instituto de Educação chegou a defender tese para concorrer à cátedra de Português e Literatura, com o título de "O espírito vitorioso", em 1929, quando tinha apenas 28 anos. Na imprensa, defendeu o que lhe parecia certo, não poupando críticas ao que lhe parecia errado. E o seu pensamento sobre educação aqui será exposto por ela própria, em textos que escreveu e publicou em diferentes fases de sua vida: a fase do *Diário de Notícias*, plena de entusiasmo, e a fase mais amadurecida de *A Manhã*.

Em síntese, na raiz do pensamento de Cecília Meireles pode-se depreender a sua convicção humanística, sempre preocupada com a formação (não apenas a informação) do educando. Escreveu maravilhosos livros de literatura infantil, em prosa e verso, visando à educação integral da criança; e escreveu vibrantes crônicas em defesa da renovação da escola brasileira, em todos os níveis e em todos os graus. No seu ideário pedagógico, como peças de um jogo de xadrez estruturalmente dispostas, de modo claro e inequívoco se nos deparam as linhas mestras do seu pensamento, a partir do respeito à personalidade do aluno, em todas as fases de sua formação e em todas as idades do seu crescimento e desenvolvimento. Na infância, após a idade pré-escolar ou perguntadora, os especialistas em psicologia evolutiva, genética ou das idades assinalam que, a partir de sete anos, a criança dá início à aquisição dos quadros lógicos do adulto. Depois vem a idade adolescente, quando se vive uma fase de transição, pois já não se é criança e ainda não se é plenamente adulto. Em tudo, Cecília Meireles demonstra largos conhecimentos de psicologia educacional e deixa evidente a necessidade, nas escolas, da criação de competente serviço de orientação ou assistência pedagógica. Sempre à luz dos modernos fundamentos da educação renovada, de que nunca abriu mão, Cecília sabe que o jovem, em busca do seu lugar no mundo, é uma complexa unidade biopsiquicossocial, tornando-se assim indispensável que os futuros professores adquiram, nas faculdades, sólidos conhecimentos de biologia educacional, psicologia educacional e sociologia educacional, ao lado de sua formação em didática geral e especial. A grande escritora, por isso mesmo, tinha plenas condições de discutir o assunto com os mestres da época, sendo mesmo aplaudida pelos maiores deles, como foi o caso de Fernando de Azevedo, em passagem já aqui referida, e de M.B. Lourenço Filho, que, às vezes, levava para as suas magistrais aulas de psicologia educacional – e aqui damos o nosso testemunho – crônicas de educação de Cecília Meireles, como elemento básico de motivação da aprendizagem. Naquela época, acreditava-se no poder da educação em sentido amplo, sem esquecer a educação de adultos e o ensino supletivo, em sua ação de suprir (daí o nome supletivo), na idade adulta, a ação educativa que faltou na idade própria. Foi intensa a luta dos renovadores contra o conservadorismo.

Em suma, todo o espírito renovador, em matéria de educação, perpassa pelas páginas admiráveis deste livro, como o leitor verá. Cecília defendeu, em sua coluna de vanguarda, no *Diário de Notícias*, do Rio de Janeiro, que os estudantes democraticamente também fossem ouvidos sobre as reformas de ensino, não apenas os professores; que os professores deviam ser remunerados condignamente (e como é atual o pensamento dela!), levando-se em conta a importância social do seu árduo trabalho; que o professor moderno deve ter formação adequada, para educar conscientemente; que a verdadeira educação não se deve limitar a pregar a fraternidade nacional, mas também a fraternidade universal; que a literatura infantil deve ser incentivada, ela própria criando uma biblioteca infantil modelar; que a Reforma Rocha Vaz não conseguiu resolver os problemas do ensino secundário, sendo alvo de muitas críticas; que a Reforma Francisco Campos foi um retrocesso; que é preciso acreditar nos jovens e na força de renovação que trazem consigo; que a teoria e a realidade nem sempre vivem de mãos dadas, em termos de educação; que a dramatização de fatos históricos motiva o ensino, que não pode ficar limitado às simples aulas de exposição oral; em suma, nada ficou por tratar na coluna "Comentário" do *Diário de Notícias*, em centenas e centenas de textos publicados de 1930 a 1933, em que defendeu a laicidade e a nacionalização de ensino com muito ardor. Por isso mesmo, pareceu ao organizador desta série de volumes que o melhor seria procurar apreender, em núcleos temáticos seletivos, as linhas mestras do pensamento de Cecília Meireles sobre educação, como efetivamente aqui se fez. Até porque nesta mesma série serão ainda incluídas as crônicas, também selecionadas, da seção "Professores e estudantes", publicadas no jornal *A Manhã*, do Rio de Janeiro, no período de 1941 a 1943. Tal decisão é de nossa exclusiva responsabilidade.

Em conclusão, numa época movimentada por debates e polêmicas, o pensamento de Cecília Meireles, muitas vezes, valeu como um ponto luminoso, orientando espíritos e procurando caminhos e soluções para o maior problema nacional, que foi e continua a ser o problema da educação e da cultura. Basta lembrar, a propósito de Anísio Teixeira, que houve quem confundisse as ideias do pragmatismo de John Dewey com práticas comunistas ou marxistas... Ao contrário de M.B. Lourenço Filho, o nosso grande teórico da Escola Nova e extraordinário professor de psicologia educacional, Anísio Teixeira, sempre preocupado com a educação de base, tinha o sentido pragmático das coisas, sentido que imprimiu aos cargos administrativos que exerceu, como foi o caso do Instituto Nacional de Estudos Pedagógicos. Naquela época, com inteira razão, dizia-se que, no mundo em que vivemos, ou marchamos logo para a educação do povo, ou caminharemos para o caos. A obra dos grandes educadores daquele momento histórico continua viva e atual: é preciso estabelecer as bases de uma educação comum para o povo; há necessidade urgente de uma nova política educacional, em que a escola pública seja realmente gratuita e obrigatória em todo o território nacional; urge a emancipação popular pela educação; é inadiável a busca de soluções adequadas para o problema da formação do magistério, nisso insistindo muitas vezes Cecília Meireles; e que se respeite, antes de tudo e com remuneração condigna, a dignidade do professor. Em suma, o pensamento de Fernando de Azevedo, M.B. Lourenço Filho, Anísio Teixeira, Almeida Jr. e Venâncio Filho, entre tantos outros grandes mestres daquela época, deve ser retomado criticamente em nossas faculdades de Educação, em busca de metas orientadoras dos mecanismos de transmissão da cultura sistematizada nas escolas, para que a educação seja o compromisso máximo de todos nós. E só nos resta esperar que a publicação desta série de volumes desperte consciências adormecidas, e que todos encarem a educação do povo como o primeiro problema nacional.

Como aqui já foi registrado, são mais de setecentos textos da coluna "Comentário" mantida por Cecília Meireles na "Página de educação" do *Diário de Notícias* do Rio de Janeiro. Além disso, a "Página" apresentava entrevistas, artigos vários e notícias sobre assuntos de educação. Esta foi a solução adotada para os volumes de educação da obra em prosa de Cecília Meireles, depois de longa (e até certo ponto difícil!) reflexão sobre o assunto: distribuir os textos em núcleos temáticos devidamente selecionados, afastando-se a ideia de qualquer sequência cronológica rígida, pois todas as crônicas foram publicadas em curto período de tempo. Cremos que assim, com tal flexibilidade, melhor será exposto o pensamento de Cecília Meireles sobre assuntos educacionais, apreciando-se melhor a importância de sua atuação jornalística em defesa de suas teses, que eram as teses da Escola Nova.

De maneira geral, em cada núcleo temático, tão abrangente quanto possível, incluímos a seguinte matéria:

a) Conceitos gerais de vida, educação, liberdade, beleza, cooperação e universalismo;
b) Família, escola, infância e educação;
c) Adolescência, juventude e educação;
d) Problemas gerais do magistério, métodos e técnicas de investigação pedagógica;
e) Educação, revolução, reformas de ensino e ortografia;
f) Educação, política e religião;
g) Nova Educação, Escola Nova, Escola Normal e ensino público. Formação do magistério e qualidades do professor;
h) Veículos de cultura e educação: poesia, cinema, teatro, música, exposições. Métodos auxiliares. O lúdico;

i) O espaço escolar: ambiente e ambiência. Prédios. Concursos;

j) Educação e literatura infantil;

k) Intercâmbio escolar;

l) Educação, jornalismo, responsabilidade e censura da imprensa;

m) Civismo na formação das crianças, dos adolescentes e dos adultos;

n) Paz, desarmamento e não violência.

Bem sabemos que a divisão em núcleos temáticos foi uma decisão do organizador desta série de volumes, diante da imensa quantidade de textos publicados no *Diário de Notícias* e no jornal *A Manhã*, ambos de saudosa memória. Dentro de cada núcleo temático também se nos impôs a inevitável seleção de textos, não apenas eliminando-se os reiterativos, mas também os mais ou menos ilegíveis ou com papel danificado pelo tempo. São crônicas, as do *Diário de Notícias*, publicadas no início da década de 1930, com entusiasmo combatente pelos temas de educação, mais tarde retomados por Cecília Meireles com mais amadurecimento, serenidade e reflexão, como as crônicas de "Professores e estudantes", do jornal *A Manhã*, claramente nos demonstram. Além disso, em se tratando de colaboração diária, é natural que a variedade temática, por vezes, ficasse um tanto prejudicada. E todas essas razões respondem pelo critério seletivo adotado, até porque extrapolaria do plano editorial a publicação integral de todos os textos, em particular as centenas de comentários do *Diário de Notícias*, que dariam uns quatro ou cinco volumes, exorbitando total e desnecessariamente as proporções editoriais previamente estabelecidas.

No jornal *A Manhã*, de 1941 a 1943, manteve Cecília Meireles, como aqui já foi informado, uma seção intitulada "Professores e estudantes", também de larga repercussão e influência nos meios educacionais brasileiros. A "Página" do *Diário de Notícias*, em que publicou entrevistas, artigos, noticiário e a sua coluna intitulada "Comentário", já era de uma década atrás, pois se estendeu de 1930 a 1933. Com o pensamento naturalmente mais amadurecido, insistimos neste ponto, após o desencanto da primeira fase, logo na primeira colaboração, datada de 9-8-1941, declara: "Aparece este jornal num momento grave do mundo. E, sendo um jornal de ideias, não pode deixar de ter, numa das suas páginas, um canto permanentemente destinado aos assuntos de educação." Os temas, em sua imensa variedade, são os do momento e os de sempre: conceitos de vida, liberdade, cooperação e educação; o valor educativo das viagens; a tecnologia equivocada das máquinas; o amor à natureza; valorização do trabalho; a boa leitura dos jornais; a cidade e o campo; história da educação no Brasil; educação ao alcance de todos; cinema e educação; homens, crianças e bichos; problemas do cronista de educação; a educação urbana e a rural; passado, presente e futuro do Brasil; elogio da culinária; crítica ao ensino memorizado e não reflexivo; teatro e educação; a construção do espírito universitário; ensino rural para adultos; educação e unificação dos países americanos; amor ao trabalho; educação e turismo; educação do pedestre; colônias de férias; atividades culturais; educação dos artistas; educação dos patrões; desenhos infantis; laicidade e nacionalização do ensino fundamental; etc. Observe-se que Cecília Meireles, em janeiro de 1933, abandonou a "Página de educação", que mantinha no *Diário de Notícias*, por desencanto e por cansaço diante do conservadorismo sempre em oposição às ideias renovadoras. Mas retornou ao campo de combate, já agora em 9-8-1941, com atitude mais serena, na coluna "Professores e estudantes", do jornal *A Manhã*.

Leodegário A. de Azevedo Filho

primeiro núcleo temático

CONCEITOS GERAIS DE VIDA, EDUCAÇÃO, LIBERDADE, BELEZA, COOPERAÇÃO E UNIVERSALISMO

A vida que não está sendo vivida

Num periódico indiano, o *Rural India*, escreveu o sr. W. Samiah uma página muito interessante sobre o papel que devem desempenhar nas aldeias os homens de mais perfeita educação.

Lamenta o articulista que as cidades absorvam tanto os que vieram do campo, seduzindo-os com a monótona tarefa dos escritórios, do sacerdócio profissional, do comércio e dos cargos públicos, e impossibilitando-os de voltar ao seu rincão, a não ser para regularizar alguma conta, ou verificar o estado de alguma propriedade.

Lamenta que a embriaguez do luxo e da ambição tenha efeitos tão egoístas que fixe as criaturas em si mesmas, tornando-as eixo dos seus únicos interesses, e fazendo-as esquecer, com injustificada ingratidão, da terra em que nasceram, e dos parentes que em geral por lá ficam, naquele desconforto que elas anteriormente conheceram, mas que, agora, satisfeitas quanto às suas exigências, não lhes provoca nenhum estímulo de abnegação, no sentido de o procurarem corrigir.

Na opinião do sr. W. Samiah, seria imensamente preciosa a atuação desses campesinos que se educam nas grandes cidades, formando-se em cursos superiores, se eles a empregassem beneficiando o ambiente rural. E esse benefício seria muito fácil de obter, bastando que se limitassem a aplicar os conhecimentos da sua especialidade aos centros incultos e desfavorecidos das aldeias.

Assim, debelariam os médicos as moléstias regionais; assim se encarregariam os engenheiros da solução dos problemas técnicos, de irrigação, canalização, construções várias; os advogados resolveriam os litígios locais, – e todos estariam concorrendo para a educação do povo e o melhoramento do campo.

Trata-se, como se vê, de um articulista sonhador, como todos os bons hindus: esses que trazem no sangue aquele "veneno do misticismo", de que fala Tagore, e que não podem compreender a vida sem ser como uma forma de constante, alegre e desinteressado servir.

Terá a sua voz encontrado repercussão entre aqueles dos seus patrícios que, nas cidades, às vezes se desorientam com a vertiginosa e traiçoeira atração dos costumes ocidentais?

Não o sabemos. É possível que sim, pois a Índia atravessa uma fase de reintegração, depois de ter aprendido o valor de si mesma por um inteligente e esclarecido confronto com outras civilizações. Ela, que sempre foi tão esquecida de si mesma, que nem os seus fastos assegurou, estuda-se agora em cada influência exercida, em cada rastro do seu passado, em cada conquista do seu pensamento.

Suas recentes conclusões, como as antigas, são que a vida não está sendo vivida com a grandeza que merece.

Nós estamos todos sendo asfixiados nesta atmosfera das cidades espetaculosas onde se consome fantasticamente o breve tempo que podemos viver, e onde um ar nefasto devora a luz da nossa inteligência e queima todas as nossas íntimas primaveras.

Desde que entramos neste cenário torturante da chamada alta civilização é como se subíssemos à prancha giratória de um circo, dominada por um movimento aceleradíssimo e sem promessa nem esperança de parada. Toda a nossa energia se concentra em vigiar o equilíbrio, para evitar o que nos parece um infalível desastre. O que nos parece um infalível desastre, mas que talvez não o seja.

Que somos nós, nesta vertigem inútil? Pode-se chamar vida, a isto?

A vida não é alguma coisa de sentido mais profundo, alguma coisa mais lenta, mais feita de coisas interiores, que se recolhem aturdidas com este ritmo alucinado que nos leva?

Talvez seja, realmente, o campo, o único ambiente onde ainda se possa realizar a bela vida, pura, simples, serena, que o mundo morbidamente perturbou.

> Beberás das fontes claras,
> Sonharás sonhos mais leves...

Como nas velhas églogas. Como no tempo em que se escutava da terra a voz inspiradora, nos momentos de inquietação e de sonho. Quando se olhava para as montanhas e aprendia-se a ser forte; quando se viam as estrelas e se sabia o que é estar muito acima...

Rio de Janeiro, *Diário de Notícias*, 9 de outubro de 1930

A extensão da nossa liberdade

Às vezes nós nos supomos donos do mundo, e temos a coragem de tentar erguer uma aspiração capaz de atingir toda a humanidade. Construímo-la com as forças mais puras do nosso espírito, animamo-la com o sangue das mais nítidas esperanças, e apresentamo-la como a melhor parte de nós mesmos, edificada no silêncio e na sombra, fortalecida de todos os impulsos excelentes, digna de aparecer na vida para triunfar sem vacilações. Porque temos a boa-fé imensa dos que acreditam que a humanidade deseja evoluir, e recebe com alegria todas as oportunidades de progresso.

Muitas vezes, porém, temos de modificar a confiança com que encarávamos a vida. Nós somos criaturas do mundo, o mundo é o nosso ambiente – mas não é nosso o mundo; para desenvolvermos a aspiração que nos inquieta!... Somos todos prisioneiros – uns mais, outros menos, mas todos prisioneiros. Temos as mãos acorrentadas, temos os braços atados, temos a boca fechada, temos os olhos vendados, temos os ouvidos obstruídos. E de todas essas prisões decorre o cativeiro do nosso pensamento. Porque até o pensamento nos conseguiram escravizar...

No entanto, ainda temos a ingenuidade de sorrir, muitas vezes, da nossa imaginária grandeza, e falar de liberdade como de um sonho realizado.

Pois não houve sobre a terra um dia luminoso – o 14 de julho? O símbolo da Bastilha não foi arrasado, simultaneamente, na alma de todos os homens?

Oh! como seria bom poder, destruindo uma instituição, uma lei, uma fórmula, agir magicamente sobre uma ideia!

Mas nós continuamos cativos. Percebemos as pequenas verdades transitórias e relativas, de todos os dias, e a grande verdade absoluta, que, de longe, comanda o giro rítmico da própria mentira... Mas não a podemos dizer. Fica-nos sobre os lábios ardendo... Não pode viver cá fora... Não há uma atmosfera que a sustente...

Sabemos onde estão os grandes valores humanos, e as grandes razões de existir. Mas temos de ficar imóveis e mudos, deixando as coisas caídas em erro, vivendo na sua profunda ignorância e determinando os mais lamentáveis insucessos, em redor...

Quereríamos mover-nos, invadir os sítios em que as vidas se debatem, porque lhes falta um hausto de ar diferente, dizer-lhes alguma coisa clara, que as acalmasse e fizesse reviver. Impossível. Fecham-nos os caminhos...

Fecham-nos os caminhos... Quem? Todos. Os amigos e os inimigos... Os inimigos, porque não os queremos contrariar com a nossa voz leal. Ninguém nos acreditaria. O mal tem sempre inúmeros adeptos e simpatizantes...

Os amigos, porque consentimos em ter essa covardia da sensibilidade que põe acima de um interesse geral e grandioso um pequeno interesse de grupo, de partido, de classe...

Andamos assim... Temos medo de tudo... Dependemos de tudo... De todos... Ameaçam-nos com situações, preconceitos, inconvenientes, desarmonias...

E dizemos que somos livres... Que os cativeiros caíram... Que a liberdade é um sol aberto sobre o mundo... Dizemo-lo, assim amarrados a coisas mesquinhas, e amarrando, igualmente, com a tradição dos preconceitos, das mentiras convencionais, das invencionices de partido e casta, aqueles que passam em redor de nós... Este mal de escravidão é, na verdade, hereditário... Veio até nós e irá de nós para diante.

Irá, se não tivermos um gesto decisivo de audácia, se não tivermos o arrojo supremo de alterar todo o estabelecido, para que o homem do futuro esteja liberto, realmente, como nós quereríamos estar. A liberdade é um clamor do espírito. E é por miseráveis compromissos deste corpo miserável, que não se mantém um século, sequer, incorruptível, na terra, que estamos viciando o espírito imortal que, após a sua extinção, continua agindo, em toda a parte, por todo o tempo...

Rio de Janeiro, *Diário de Notícias*, 6 de janeiro de 1931

O conceito de vida

Não há muito tempo publicamos neste jornal um capítulo do trabalho de Jean Piaget sobre a criança e a sua representação do mundo.

Escolhemos a parte em que se procura saber o seu conceito sobre a vida. Nela vinham sugestivas respostas de muitas crianças consultadas, e todas essas respostas tinham o mesmo equilíbrio e demonstravam a existência de um mesmo nível do pensamento infantil, mesmo através dos graus de desenvolvimento estabelecidos pelo ilustre psicólogo.

Queremos hoje apresentar, porém, as respostas absolutamente inesperadas que recebemos, de uma menina brasileira, de sete anos e três meses de idade, respostas que nos foram dadas com uma naturalidade assombrosa, e que por instantes nos fizeram o pensamento oscilar sobre aquela informação de Lafcadio Hearn a respeito da consulta que os japoneses tradicionalmente fazem às criancinhas do seu país, no dia em que completam dois anos, sobre a origem de sua vida, e o mundo de que vêm.

Nosso pensamento oscilou assim, porque a menina com quem falávamos pôs na sua linguagem uma seriedade que perturbava. Parecia que tinha dentro de si conhecimentos misteriosos e que achava fútil e cheia de ignorância a pergunta de quem a interrogava.

O diálogo, num ambiente de total isenção, levava o ritmo do método clínico recomendado por Piaget. Era preciso nada sugerir. A pergunta foi decalcada nas suas:

– Tu achas que o sol vive?

A pequenita olhou-nos como de um outro mundo. E disse com uma convicção quase mística:

– Vive.

– Por quê?

As crianças do livro de Piaget respondem: porque se move, ou porque caminha, ou porque queima...

Esta não. Esta foi à causa primária, e disse-me:

– Como é que eu posso saber *por quê*? Talvez ele é que saiba...

Ora, entre o primeiro *porquê*, superficial, que *caracteriza* a vida, e este segundo, que a *explica*, vai uma distância enorme.

Mas ainda insistimos:

– E a água, também vive?

Aí surgiu uma explicação que eu acho notável. A menina, olhando para longe, como abrangendo todo o universo, disse-me esta coisa.

– A água também vive. Tudo vive. Se não vivesse, não estava no mundo. Como é que podia estar no mundo, se não vivesse?

Eis aí um conceito de vida que eu não esperava encontrar numa criança de sete anos e três meses.

Não quero discutir o valor filosófico do conceito. Mas a sua significação psicológica, comparada com a das crianças analisadas por Piaget, e mesmo com a visão de muitos adultos, sobre o mesmo tema, parece-me digna de atenção especial.

Tudo, pois, que está no mundo, segundo essa menina, vive. A prova de que vive é essa: estar, ser. Quanto ao porquê dessa vida, confessa a incapacidade de o definir.

Sente, apenas, que a razão é profunda. Que não a atinge.

E confia-a simplesmente à própria vida.

Rio de Janeiro, *Diário de Notícias*, 24 de janeiro de 1931

Os intransigentes

Os intransigentes são os refratários à evolução.

Porque a própria vida é uma transigência contínua.

Dentro do seu ritmo, tudo se renova, cada dia. Ela tem aquela volubilidade de aspectos, sobre um fundo de eternidade, que os hindus, de olhos profundos e sábios, veem com um sorriso sereno, como quem não se deixa mais vencer por um jogo de ilusões.

Ser intransigente é apenas agarrar-se a uma dessas ilusões transitórias e fechar os olhos para todas as coisas que já passaram e as que vierem a passar, com uma verdadeira indiferença pelo esforço humano que, através de todas as suas experiências, vem construindo o tema da sua passagem pelo mundo.

Ser intransigente é, pois, também, desprezar covardemente a própria humanidade. É desconhecer por completo essa alegria de acompanhar o movimento do espírito humano, saudando com encanto cada um dos seus instantes, não porque traga esta ou aquela soma de benefícios, mas simplesmente porque pertence à vida – e a vida é um dom extraordinário...

O intransigente fixa-se e envelhece numa coisa que o interessou de perto. É um egoísta.

Para se defender do prestígio de outros conhecimentos, isola-se num círculo estreito, onde ideias diferentes das suas não possam penetrar.

Não quer saber mais, porque não quer transigir. O intransigente fica sendo, pois, um ignorante.

Defende-se. Defende a sua pessoa e a sua intransigência. Nada o demove a sair dos seus limites. Fecha os olhos, para não se deixar influenciar. Fecha os ouvidos, para não se deixar convencer. Recusa o que lhe ofereçam, desde que nisso lhe possa vir alguma sugestão diferente.

Se é médico, ou pertence à escola francesa e diz: "Ora a escola alemã!" Ou pertence à alemã e diz: "Ora a escola francesa!"

Se é pintor, ou ainda está com a Renascença, e diz: "Os modernos! que brincadeira de mau gosto!", ou é moderno, e diz: "Aquele coitado do Da Vinci!..."

Se é poeta, ou ainda é parnasiano, e atira com importância uma injúria aos que não o são, chamando-os indistintamente "futuristas" (o termo é tão fácil, e causa tanto escândalo!) ou é mau moderno e diz: "O pobrezinho do Luís de Camões, ou o vovozinho Hugo..."

Por aí afora.

E, no entanto, não há uma coisa aparecida à superfície da terra que não tenha uma íntima centelha, que lhe justifique a existência. Não há nada que pertença à vida e que se possa desdenhar – justamente por ser uma parte do processo dessa mesma vida.

Até o mal, esse mal da intransigência, tem a sua razão de existir. É uma forma da verdade. A marca dos que contradizem a vida. Dos que a contradizem em certo momento. Porque quem sabe lá para onde vamos, e, dentro das imensas possibilidades desconhecidas a que estamos destinados, talvez até os intransigentes reapareçam transfigurados, noutros cenários e noutras datas!

Mas, se há um tipo absolutamente impróprio para lidar com a infância e com a mocidade é o do intransigente. Felizmente, nem uma nem outra o leva a sério. O automatismo não é uma das raízes do cômico, segundo esse radioso espírito que vive sob o nome de Bergson?

Porque o intransigente envenena tudo, acurva tudo ao seu preconceito, ao seu interesse mesquinho, ao seu egoísmo, à sua ignorância. Não pode educar: falta-lhe essa visão de beleza que descobre em cada coisa uma razão maravilhosa de existência, uma sugestão, uma esperança, um ideal.

A infância e a mocidade querem subir e expandir-se como as flores. O intransigente assenta sobre todas as coisas um punho duro de ferro que oprime e extingue.

O educador tem de ser um acordador de energia. O intransigente é um portador de morte.

Em vão uma voz gritou obstinada *"Eppur si muove!"*.

Para o intransigente, o mundo continua parado, sob a sua ideia fixa.

Rio de Janeiro, *Diário de Notícias*, 27 de janeiro de 1931

Os que trabalham com alegria

Ocorre-me a lembrança desta conversa de alguns dias atrás.

A ilustre educadora *Mme.* Artus Perrelet falava-me dos que trabalham com alegria e contava-me o seguinte caso:

Numa cidade em que esteve, reparou que todos os seus habitantes eram tristes, andavam cabisbaixos e silenciosos, quase não se comunicavam entre si.

Isso lhe dava uma sensação dolorosa de pena e um desejo de compreensão daquelas estranhas vidas.

Certo dia, observou que um rapaz assoviava. Era a primeira pessoa que via assoviar naquela cidade. E foi essa, também, a primeira pessoa que viu cantarolar, timidamente, surdamente, embora.

Aproximou-se desse jovem, que era uma nota diferente, em meio ao acabrunhamento geral, e conversou com ele.

Soube que trabalhava numa fábrica. E viu o seu trabalho. E ficou encantada, porque tudo quanto esse jovem fazia lhe saía perfeito das mãos.

– Como conseguiu adquirir toda essa habilidade surpreendente? – perguntou-lhe.

E ele lhe respondeu que trabalhava com verdadeiro entusiasmo, que punha no seu trabalho toda a alegria do seu coração, todo o contentamento da sua capacidade.

No entanto, junto desse jovem trabalhavam outros homens, calados e sombrios.

E ela quis ver também o seu trabalho. E achou-o imperfeito e feio. Perguntou-lhes então, por que não executavam obra melhor, e eles lhe responderam, tristemente, que não se interessavam por aquilo que faziam. Que o faziam, simplesmente, em obediência ao patrão.

E, como depois de uma parábola, cerrou levemente os olhos, concluindo:

– O trabalho precisa ser feito com alegria. A alegria deixa passar despercebido o esforço e anima com uma beleza mais verdadeira tudo quanto se faz. Daí, continuou, a necessidade de se conhecer a vocação das crianças e a obrigação de a procurar orientar devidamente.

E, enquanto sua voz continuava a celebrar a alegria de viver e de criar, eu recordava aquele artista oleiro de Guadalajara, que, falando dos seus maravilhosos vasos, sugestiva floração da terra mexicana, dizia mais ou menos assim:

– Quando se encomenda a alguém alguma coisa, é como se lhe atassem as mãos. O belo é trabalhar pelo simples gosto de criar, indiferente a preços. E, depois de um vaso pronto, deixá-lo levar por aquele que o achar bonito...

Oleiro de Guadalajara, grande artista e grande sábio!...

Rio de Janeiro, *Diário de Notícias*, 10 de março de 1931

Educação com "e" pequeno...

Quando foi daquela reunião de diretores de Instrução, realizada no ano passado, o representante de um dos nossos Estados centrais teve a ingenuidade de dizer que na sua terra a Educação estava muito adiantada: as moças sabiam entrar numa sala, liam revistas, e conheciam as modas...

Está claro que isso causou escândalo na roda dos que se vêm dedicando a assuntos pedagógicos, e que, certamente, não contavam com tão singular conceito, nestes tempos luminosos em que os livros andam derramados à mão cheia pelo planeta, encarregando-se de pôr as criaturas – principalmente as de responsabilidade – ao corrente dos problemas que as afetam.

Pois, apesar de ter sido escandaloso o conceito, eu te direi, paciente leitor, que ele não é único, que ele não é raro.

Aqui mesmo, nesta maravilhosa cidade, sem sairmos das zonas de mais prestígio, dos lugares onde as coisas parecem andar mais claras, e as criaturas mais atentas, encontraremos muita gente chamada culta, ocupando cargos importantes, e cuja opinião pesa sobre o destino geral, cujo conceito sobre educação não vai um milímetro mais longe que o desse representante do longínquo Estado central...

A preocupação educacional não tomou ainda, no espírito de muita gente, a proporção que lhe deram, em todos os tempos, os espíritos excelentes, e a que lhe estão dando, neste momento, todos os representantes mais elevados da intelectualidade terrena.

Ainda perdura na compreensão de muitos o preconceito da educação gênero *Secretário das Famílias*, com um determinado número de fórmulas de cortesia e de hábitos de sociedade. Chama-se vulgarmente *educado* a um cavalheiro de modos afáveis (ainda que seja um monstro de hipocrisia), de palavras escolhidas (embora encobrindo pensamentos medonhos), de gestos atenciosos (ainda que sobre intenções vis), com um sorriso à flor dos lábios para mentir melhor, geralmente, e uma aparência de bondade encantadora, para a gente se fiar melhor nele, e cair mais depressa nos seus ardis.

E quando aparece, ao contrário, o cavalheiro (que pode ser uma dama...) resolvido a dizer a verdade em voz alta, e a da própria vida; e quando a sua voz clama, para que todos a ouçam, e a sua força atua, para que todos a sintam – às claras, com evidência, com sinceridade e com violência – ai de nós! que grande calamidade se desprendeu sobre o mundo! Tapai os ouvidos e fechai os olhos porque esta é uma criatura perigosíssima, que é preciso evitar, que é preciso enterrar dentro do chão ou desterrar para fora do mundo... É a criatura terrível que revela o bem e o mal... Poderá existir ente mais ameaçador do que esse? Poderá existir ente mais digno de uma perseguição incessante, para que a humanidade se possa defender, e escapar com os seus queridos defeitozinhos, tão preciosos?

Oh! todos os anátemas são poucos para a criatura assim...

E o menor de todos, aquele que se diz mais discretamente, ao ouvido requintado dos amigos, por desfastio e displicência, é apenas:

– Que malcriado!

No entanto, esses são os verdadeiros educados. Os que sabem, os que creem, os que agem, os que se conservam puros para serem belos como um exemplo, os que não vacilam diante de nada, porque não desservem a um ideal que é o seu, os que jamais seriam capazes de trocar um pequeno interesse coletivo por um grande interesse próprio; os que não vergam, os que não suplicam, os que não mentem e os que não temem.

Como é que a mediocridade poderia suportar tanta grandeza, esmagando-a?

Só lhe resta, realmente, um recurso. Explodir com a sua indignação:

– Malcriado!

(Já disse um poeta persa que, se não fosse o suspiro, a gente morreria sufocada...)

Rio de Janeiro, *Diário de Notícias*, 27 de março de 1931

Questões de liberdade

Mais de uma vez temos dito – e é preciso repeti-lo sempre – que o principal problema da educação moderna é a liberdade humana, no seu mais grandioso sentido.

É a própria situação do mundo que se encarrega de nos ensinar a seguir por esse caminho, se não quisermos entrar em conflito com as razões profundas da vida, incorrendo, com um gesto desatento ou interesseiro, num crime imperdoável de lesa-humanidade.

Mas, enquanto uma Reforma de Ensino Primário, como a que nos deixou o governo findo, nos promete, – embora da sombra e da frialdade a que a condenaram, – uma era nova, e de real importância, para a nossa nacionalidade, – o regime atual, que tanto tem invocado a Liberdade como sua padroeira, nos coloca nas velhas situações de rotina, de cativeiro e de atraso que aos olhos atônitos do mundo proclamarão, só por si, o formidável fracasso da nossa malograda revolução...

Há dois dias li um discurso de um líder da Legião de Outubro, em que o sr. Francisco Campos é apontado aproximadamente como o salvador da liberdade brasileira – essa bela liberdade por que todos suspiramos, e que já nos está dando saudades dos tempos de antigamente...

Eu não quero discutir a Legião, porque seria desnecessário, uma vez que todos conhecem os moldes em que ela foi vazada, e as consequências do que pode vir de um produto de tal molde...

Mas, vejamos, pondo de parte as questões propriamente políticas, como estão sendo tratadas as questões educacionais, sob essa estranha orientação de estranha liberdade.

Num regime como o que desejamos, os homens adquirem sua liberdade por meio, justamente, da educação. É preciso facilitar-lhes a evolução, o desenvolvimento, as capacidades. "Lugar para o talento! Lugar para os mais capazes!" – como se bradava na Europa, depois da dura experiência da guerra.

Veio o sr. Francisco Campos com o seu feixe de reformas na mão. E, em cada feixe, pontudos espinhos de taxas. Foi mesmo mais uma reforma de preços, que tivemos. E esperávamos uma reforma de finalidades, de ideologia, de democratização máxima do ensino, de escola única, – todas essas coisas que a gente precisa conhecer e amar, antes de ser ministro da educação...

Depois, veio o decretozinho do ensino religioso. Um decretozinho provinciano, para agradar a alguns curas, e atrair algumas ovelhas... Porque – não se acredita que nenhum espírito profundamente religioso – qualquer que seja a sua orientação religiosa – possa receber com alegria esse decreto em que fermentam os mais nocivos efeitos para a nossa pátria e para a humanidade.

Chama-se a isto ser liberal. Fala-se da Legião como de um movimento de liberdade. Liberdade! Oh! mas, afinal, sejamos coerentes. Façamos o déspota. Façamos o vizir. Façamos, de certo modo, o César século XX. Mas conservemos a significação dos nomes! Um ministro que promove acordos ortográficos deve conhecer o sentido das palavras, de qualquer maneira por que estejam elas escritas.

Rio de Janeiro, *Diário de Notícias*, 6 de maio de 1931

Expectativa

No quadro da atualidade, cada vez mais se afirma o motivo educacional como a base mais segura para a realização dos ideais humanos, que múltiplas causas têm vindo até aqui tolhendo e deformando.

Já não é apenas dos que se dedicaram à profissão de educar que parte este grito veemente de construir a vida mediante a edificação do homem – edificação, porém, que obedece a princípios de humanidade, de compreensão, de solidariedade e de fé que não existiam antes, com igual pureza, nos planos a que cada um se cingia para despoticamente modelar as vidas a seu alcance.

Junto à dos professores, a ansiedade dos pais já seria muito, nesta obra comum em que se põem de acordo todas as inteligências desinteresseiras da época. Mas, agora, esse entusiasmo e essa inquietude flutuam na própria mocidade que começa a pensar. Na mocidade sadia que se sente chamada a uma realização sincera e útil, que, ao mesmo tempo, a integra em si mesma e no ambiente imediato e do mundo.

Ora, a generalização de toda essa ansiedade há de arrastar, por força, a resposta necessária a todo esse tumulto da época. Há de surgir, por força, alguém que seja a consequência de toda essa crise histórica, que seja um produto seu, uma formação superior àquela que a espera, e que se terá de revelar no instante adequado, por esse poder da fatalidade que a cada causa comunica um efeito.

Todos nós devemos estar atentos ao processo que se desenvolve neste momento, e de que resultará essa conquista admirável para a humanidade de agora e a que lhe suceder.

Como os redentores dos velhos tempos proféticos, precisamos do redentor moderno, cuja missão é muito mais árdua que a daqueles, porque tem de fazer com que os homens não mais *recebam* um ideal, mas o façam desabrochar em si, e se transubstanciem nele, e o defendam com uma convicção que não depende mais de esperanças nem de recompensas extraterrenas, mas desta serenidade bem humana e bem imortal de chegar ao mais alto ponto a que pode atingir uma criatura que se vence, que se deslimita e que se *faz*.

Como se sente hoje a falta desse grande animador de um movimento sobre-humano, capaz de agitar completamente a vida e de lhe trazer, concisamente, não só um sentido que a explique, como uma técnica que satisfaça ao homem na conciliação de toda a sua complexidade com o ambiente que o aguarda e em que ele se tem de situar e mover.

Todo um mundo a criar está aguardando a vontade, o poder, a coragem, e, acima de tudo, o profundo desinteresse por si mesmo, e por todos, desse que há de vir como o verdadeiro anunciador destes novos tempos cheios de incógnitas e perspectivas, para os quais se arrastam deslumbradas todas as nossas forças e todas as nossas esperanças.

Rio de Janeiro, *Diário de Notícias*, 29 de agosto de 1931

Educação

Nunca se viu, como agora, tão grande movimento, no Brasil, em favor da educação popular.

Assim vai acordando, afinal, a noção da nossa realidade, e procurando sua fixação num motivo capaz de lhe assegurar o devido êxito.

Nenhum motivo pode ser mais eficiente que esse de uma extensão cultural e técnica, permitindo a todos a sua própria autonomia na vida, autonomia que se conquista à custa da prova da própria responsabilidade, e, por isso, fica sendo, para sempre, um triunfo humano sobre todos os cativeiros e as misérias todas.

Num mundo de homens irmãos, o trabalho fraternal que se levanta com mãos preparadas por uma aplicação conscienciosa e adequada, traz virtudes maiores e pode vencer melhor as inconstâncias do tempo e as fatalidades dos destinos.

Esse trabalho fraternal só pode provir de uma educação que ofereça a todas as crianças iguais possibilidades de efetuar sua adaptação ao mundo sem tiranias e sem humilhações.

O sonho de paz sobre a terra descansa nesse intuito comovedor de tornar iguais todos os homens a partir do instante neutro da infância, dentro da neutralidade da escola.

A escola tem de ser o lugar de reunião daqueles que se preparam para a arte difícil de viver. Seria lamentável que, nesse convívio preliminar, se impusessem divergências e desigualdades, favorecendo e desfavorecendo o princípio de um mundo que desejamos harmoniosamente formado, numa coerência admirável de todos os seus elementos.

Sem pretender o impossível de uma uniforme humanidade, o sonho de permitir a elevação de todos até o mais alto nível de si mesmo pode passar a ser a realidade definitiva da vida, através da obra inteligente da educação.

Desde que essa obra não se perca na falsidade pretensiosa dos discursos. Desde que sejam postos de lado todos os interesses capazes de diminuir o pensamento inspirador dessa esperada renovação. Desde que, reconhecendo corajosamente todas as dependências das atuais situações, criadas por antigos compromissos, mantendo vidas erradas e destinos constrangidos, os homens deste instante se resolvam a admitir, de fato, a possibilidade de novos rumos para uma futura realidade superior à de hoje, artificial e mesquinha, quase sempre.

Tudo isso, que parece tão pouco, é muito, e ainda difícil de conseguir. Mas só isso é obra de educação. Só isso pode emancipar e, por emancipar, aproximar. Gera-se da liberdade gravemente conquistada um sentido de amor imortal que é a única esperança da sustentação do universo.

A educação que esquecer esse sentido de amor, ou que o tenha ignorado, perdeu sua razão de ser, e não pode mais tentar situar-se nos dias novos que o mundo agora reconquista, depois de tantas experiências e de tão formidáveis sacrifícios.

Rio de Janeiro, *Diário de Notícias*, 6 de dezembro de 1931

Questão de educação

Tudo, em suma, é sempre uma questão de educação.

Vejamos a guerra sino-japonesa.

O sr. Hikoichi Motoyama, diretor do *Osaka Mainichi* e do *Tokio Nichi Nichi*, organização jornalística importantíssima, pois esses jornais têm uma tiragem diária de cinco milhões de exemplares, explicou ao mundo o ponto de vista japonês em relação à China, logo que se esboçaram os acontecimentos da Manchúria.

Depois de criticar a fraqueza com que o país vizinho respeita os tratados internacionais, e como anda atrasado nas suas dívidas, passa a considerar as hostilidades sofridas pelos japoneses nesse território que, diz ele, "antes desta geração não era mais do que um sertão desconhecido, considerado como o valhacouto onde imperava o banditismo e onde se praticava livremente a profissão de salteador". Malgrado a feição realista do seu longo artigo, o sr. Motoyama não pôde fugir ao encanto de ser homem do Oriente, e, no meio de considerações político-jornalísticas, relembra o esforço dos seus compatriotas, tratando a terra mandchu que, "depois de conquistada à Rússia, foi transformada pelos japoneses no esplendor florido de uma rosa".

As hostilidades chinesas, diz ele, têm-se manifestado de todas as maneiras possíveis:

> promulgando leis irrazoáveis, recusando justiça, incitando a populaça a atos de violência, decretando competições injustas, espalhando informações mentirosas, organizando movimentos hostis, sistematizando nas escolas a campanha jacobinista, lançando mãos, em suma, de meios que nenhuma lei divina ou humana pode sancionar.

"Sistematizando nas escolas a campanha jacobinista..." A velha China sustentada de tradições, amolecida secularmente por uma filosofia suave, todos os dias recordada no gozo literário dos seus letrados, e vivida no hábito de felicidade adquirido pelo seu povo, não deixou nunca de ser um país desconfiado com os estrangeiros, – gente, a seu ver, traiçoeira e hipócrita, dona de uma civilização postiça, que nunca lhe poderia interessar como modelo.

Mas que essa hostilidade se manifestasse para com o Japão, onde, por um milagre de jiu-jítsu, se absorveram as qualidades de progresso ocidental sem prejuízo dos caracteres inerentes à velha e nobre civilização nipônica, isso sim, é que se poderia achar estranho... A não ser que ao próprio sentimento chinês, feito de requintes, de elaboradas sutilezas, pacientes e sábias, o surto japonês atual estivesse a cada instante lembrando aquela antiga audácia com que os homens do Japão se levantaram um dia dispostos a medir suas armas com as da Rússia...

Como quer que seja, segundo o sr. Motoyama, a China vinha fazendo até propaganda antinipônica nas escolas. E isso é que é ainda mais grave que este mesmo momento a que vamos assistindo.

Porque a escola tem de ser o território mais neutro do mundo.

Pode ser que os homens de hoje tenham o direito de combater outros homens de hoje.

Mas, porque assim é, não se vai admitir que as crianças de hoje devam preparar-se, desde já, para, quando forem grandes, continuarem as lutas que seus pais não tiveram tempo de concluir.

As conferências de desarmamento, se quiserem ser úteis, têm de começar nas escolas, nas palavras e nos atos dos professores, principalmente nos atos, porque falar já quase não vale a pena...

Têm de começar pela extinção do jacobinismo no coração dos adultos – porque o coração das crianças é sempre grande demais para abranger uma pátria só.

Rio de Janeiro, *Diário de Notícias*, 5 de fevereiro de 1932

Libertação

O processo da vida se opera em tentativas sucessivas de libertação. Estamos todos os dias renovando, na criatura que fomos na véspera, a criatura que seremos no amanhã. Mais do que renovando-a: refazendo-a, – porque não tornamos a ser jamais o que fomos, salvos apenas de uma velhice posterior, mas construímos de fato uma vida própria, que das outras só guarda a lembrança das experiências e uma certa memória de duração com que vamos acreditando na sua continuidade.

Mas para que a vida empregue o seu ritmo com alegria, é necessário que as criaturas estejam em condições de aceitar com facilidade essas mudanças, e hajam adquirido uma agilidade interior que lhes permita acertar com as várias posições que se sucedem, no tempo adequado, e com a medida justa.

Tanto isso é verdade que a cada passo estamos encontrando existências que se debatem com horror na dificuldade de viverem um determinado momento, pela simples razão de não terem conseguido o poder de passar para a posição exata quando essa posição se tornou indispensável, pela ordem geral do mundo, que está muito acima da nossa vontade individual, e anda muito alheada aos interesses de cada pessoa...

Essa faculdade de libertação, sendo uma exigência da vida, não é, de nenhum modo, um castigo para a criatura, que, ao contrário, nela encontra o campo de experimentação das suas possibilidades, de cujo triunfo extrai o contentamento da sua condição.

E nesse dom de sempre se adaptar, de sempre estar pronto, de sempre ter de se pôr à prova, há um gosto de mocidade que é a maior riqueza que pode conter um destino. Porque a mocidade é a face mais clara do eterno. Do eterno que só é porque a todo instante deixa de ser. Do eterno que, sendo um só, por essa capacidade de mudar sem se perder, pode ser tudo, ao mesmo tempo, ou de cada vez.

Mas decerto nem todos veem as coisas assim. Uma grande parte da humanidade é constituída por humilhados, multidões inadaptáveis, sofrendo, quase sem o saberem, da inferioridade que as fez estacionar num ponto fatal e irredutível. Outra grande parte é a dos dificilmente adaptáveis, dos que não se deslocam sem um sofrimento, dos que conseguem acompanhar o ritmo total mas queixosos do movimento a que se subordinam, quer pela dificuldade de propriamente o realizarem, quer pela atração para o conforto de situações anteriores, ou, senão do conforto, pelo hábito que lhes tinha dado uma espécie de segurança, que era a sua precária felicidade.

Ora, a felicidade está na libertação. E, se a libertação depende de uma contínua mudança, a rotina é apenas um preconceito e uma ideia falsa de segurança e tranquilidade, para os que, temendo o que desconhecem, se limitam a estreitos territórios, onde a ausência de aventuras pode parecer impossibilidade de perigo.

Como, porém, atingir a essa libertação que torna os homens felizes, de uma felicidade ativa que não se corrompe, simplesmente por estar sempre evoluindo, ganhando definições novas, e conduzindo aos níveis extremos em que o homem se confunde com Deus, e de onde até retorna, para não se extinguir nessa atitude suprema, detendo um processo de vida que para não acabar precisa vencer a própria glória de ter chegado ao fim?

As religiões e as filosofias não têm sido, em suma, senão a tentativa de capacitarem o homem para esse processo de libertação que é o último apelo dos pensamentos que percorreram todos os caminhos em busca de uma verdade suficiente.

Mas as religiões e as filosofias têm sido até aqui uma zona privilegiada, tão fechada sobre si mesma que nem deixa ver de fora algumas puras maravilhas do seu conteúdo. Descrentes dessas riquezas misteriosas, os homens para os quais elas têm sido inacessíveis ou se perdem de desencanto ou refazem o mundo à sua custa, para darem satisfação à vida da obra do seu destino.

Nisso estão o intuito e a finalidade da educação. E não pode haver nada maior nem mais belo.

Rio de Janeiro, *Diário de Notícias*, 13 de março de 1932

Beleza

"Desejo que a Beleza esteja ao norte e ao sul, a este e a oeste de mim, que a Beleza esteja acima de mim, que a Beleza esteja abaixo de mim..."

Lucie Delarue-Mardrus encontrou essa prece matinal entre os Peles-Vermelhas. Tanto o gosto profundo da Beleza é também o sentido encantado da vida. Tanto estamos feitos desta ansiedade de nos excedermos, e de vermos as coisas que se excedem. Porque a Beleza é um poder excessivo. Não importa que a forma seja simples, sóbria, harmoniosa: dentro dela há um transbordamento de emoção, de ideia ou de gozo. É a Beleza, então.

E quando uma criatura da terra pode pedir no sonho matinal, com que constrói seu dia, que tudo em redor de si venha a ser Beleza, está se integrando, por todas as direções nessa Beleza que envolve todas as outras, nessa capacidade de tudo compreender, de tudo abarcar, de tudo guardar em si, nessa beleza que dá um rosto maternal ao universo, e permite que o homem descanse pousado na vida como uma criança encostada ao peito que a sustenta.

Não há sofrimento maior que o das criaturas que vivem sem Beleza. Porque essas realmente serão incapazes de resistir ao peso dos acontecimentos: falta-lhes aquele dom de tudo transformar com a força criadora que retira do fundo das noites mais trágicas a face ressuscitada de um outro amanhã.

As vidas heroicas subiram para as alturas dos seus desesperos e das suas glórias elevadas por uma seiva amarga mas poderosa, elaborada num solo em que se ocultava a Beleza.

Em cada instante doloroso, a alma dos homens fortes pode recordar no alimento da sua vida a presença daqueles elementos distantes a que suas raízes vão tomando uma virtude sempre nova e sempre ativa.

Somos um destino para perder e ganhar. A aflição de perder só não é uma aflição quando se conta com a esperança de tornar a ganhar. E, como o que vamos perdendo e ganhando é precisamente tudo quanto somos, toda a nossa própria definição, todo o sentido que damos a nós mesmos, precisamos de alguma coisa que salve sempre, que salve reconstruindo, não apenas consolando sob a miséria de qualquer humilhação.

Beleza salvadora. Forma de dispersar todos os motivos desarmônicos de cujo contraste se sofre, cuja vacilação perturba e aflige, e que nos desviam do equilíbrio da serenidade para as indecisões da inquietude, equidistantes da loucura e da covardia.

Tudo porque a Beleza é transbordante. Porque é sempre mais, e não tem fim. Tira-se dela a quantidade que nos falta de energia para substituição desses esbanjamentos de coragem que as horas de todos os dias vão arrancando implacavelmente das nossas mãos.

Talvez o instinto do indígena saiba de muitas outras coisas mais extraordinárias. Sabe, decerto. E, nesse apelo à Beleza, nenhum de nós vai mais longe que ele. Ou nem tanto.

Rio de Janeiro, *Diário de Notícias*, 21 de junho de 1932

Vida prática

Será necessário indagar bem se ao homem basta a vida prática, ou se lhe faz falta uma porção de sonho como satisfação às atividades mais longínquas da sua realidade, que, embora longínquas, podem ser as mais exigentes e autênticas.

O educador, ser de inquietudes, que a todo instante sonda as suas possibilidades de ação, comove-se com a incerteza da definição humana: que somos nós, afinal, – criaturas de um mundo concreto, de ambições suscetíveis de se conterem num limitado plano? criaturas de exorbitância, transpondo sempre fronteiras para territórios cada vez mais incríveis? ou criaturas de ansiedade, de concentração e de distância, de tímidas tentativas humildes e arrebatadores anelos para alturas inexprimíveis? criaturas que se contêm na aceitação do possível precário, compensando-se com a sua própria transfiguração num permanente e sobre-humano impossível?

Isso é trabalho da psicologia, que a intuição dos homens atentos vai adivinhando pouco a pouco, dentre as sombras confusas do que somos, de onde emergimos a cada instante, curiosos de ver a nossa própria fisionomia, e dentro das quais de novo nos escondemos, com os ritmos de mistério que realizam a própria obra da criação.

Parece, porém, que a vida prática não basta ao contentamento humano. As aspirações para um além sem limitação, sobre vagos espaços de irresolutos tempos vêm sendo, na história do mundo, talvez a narração do destino dos povos, e quem sabe se também a inenarrável história de todas as coisas?

Fiquei pensando isso depois de reler agora *As doze palavras do tzigano*, de Kostis Palamas, esse admirável poeta grego, que reúne a doçura de Tagore às luzes profundas de Khalil Gibran, que une ao ímpeto de Walt Whitman o langor e o colorido persa de Ferdusi, de Hafiz, de Saadi; e que transporta em seus versos a cadência das antigas sagas, recoberta de um véu de sugestões e perfumes que a todo instante faz pensar em Rainer Maria Rilke.

É quando ele está cantando *O trabalho*: drama do poeta que resolve fazer coisas úteis e se converte em ferreiro, e começa a criar, dentro da sua casa de fogo, como um outro Vulcano. Desejo de criar as coisas de que o mundo carece: cadeias para prisioneiros, pregos para a cruz dos profetas; tálamos, lanças, espadas, broquéis; chaves para os cofres dos avarentos, sinetas para os rebanhos, sinos para "o oceano das almas"...

> Vã tentativa, esforço inútil – suspira Kostis Palamas.
> Ó minha mão, abandona o ferro; descansa, ó malho, da tua luta com a bigorna. Eu sou o artista ferreiro que quer executar uma obra e produz outra. Sou o ferreiro criador cujo malho não faz nem pregos nem armaduras, nem espadas nem lanças, nem sinos, nem cadeias, nem chaves, nem campainhas, nem charruas para o campo nem leitos para a habitação, nem foices nem freios. Sou o ferreiro criador cujo malho só produz belos objetos inúteis: e minha arte é original e paradoxal. Sou o mago do fogo: penetro nele, roubo-lhe suas serpentes e monstros que converto em ferro, e torno mais fantásticos ainda. Sou o homem que martela, em lugar de espadas, certas flores ignoradas da natureza; sou o ferreiro dominador que faz nascerem da chama círculos, sombras, grifos, encantamentos, coroas reais, monstros, fadas, górgonas para navios, para palácios que já não existem mais ou que ainda não existem; objetos inúteis, inutilizáveis, quiméricos, aos quais faltam ora o rosto, ora o corpo, e a que falta o nome, sempre, tudo quanto exaspera os homens que dormem de olhos abertos, tudo que os passantes insultam, – o que em parte alguma se impõe, o que em parte alguma entusiasma, o que em lugar nenhum pode encontrar comprador! Sou o ferreiro que decepciona, enfada e aborrece. À obra que sairia infinitamente delicada das mãos de um outro artista, meu sopro incute não sei quê de bárbaro e brutal, mais áspero que granito. E quando esperam receber de minhas mãos uma obra firme, sólida, resistente, elas involuntariamente oferecem um aéreo raio, uma imponderável espuma.

Talvez a vida prática não satisfaça o homem. É menos talvez pelo que propriamente representa de limitado e convencional, como pela ausência de liberdade que jaz em todo convencionalismo e limitação. É o sonho que liberta. De tudo: do mundo, dos outros, de nós. É necessário crer no sonho. E salvá-lo sempre. Para nos salvarmos. Para deixarmos a face radiosa da nossa alegria no último ermo, e na última sombra, onde outras vidas, depois, vierem um dia perguntar as coisas que hoje andamos todos perguntando.

Rio de Janeiro, *Diário de Notícias*, 6 de julho de 1932

Cooperação

Às vezes compreendo que se fique desconfiado da palavra cooperação, de tão corrente emprego na atualidade, principalmente em relação aos assuntos educacionais.

Eu mesma tenho ficado surpreendida, vendo como, às vezes, é fácil empregar essa bonita palavra e difícil traduzi-la na realidade que lhe corresponde.

Foi mesmo de observar isso com interesse e boa vontade que cheguei a uma espécie de compreensão do que talvez se passe com o seu emprego.

Parece que *cooperação* é uma palavra que se supõe somente para o uso alheio. Por exemplo, uma pessoa diz: "V. precisa cooperar conosco". A gente ouve e pensa que isso quer dizer: "Vamos todos trabalhar juntos".

Mas nem sempre é assim. Num grande número de casos isso significa: "Eu vou trabalhar e v. vai trabalhar também, aí por perto. V. se arranje como puder, que é precisamente o que eu, por minha parte, vou fazer."

Ora, quem não estiver informado dessa técnica vai trabalhando com uma espantosa boa-fé, certo de que há uma correspondência de esforço, uma solidariedade de energia orientada para o fim proposto. Vai trabalhando. E vai falando na cooperação.

Mas um dia, no dia em que se dá um balanço dos resultados já obtidos, e das experiências em marcha, fica-se atônito, sem encontrar a cooperação esperada. Onde está? Que foi feito dela? Não se sabe.

Ora, eu não estou criticando esses comportamentos imprevistos. Creio, apenas, que a essa espécie de atividade, tão original (e vulgar ao mesmo tempo) deve ser dado um outro nome. *Cooperação*, evidentemente, não serve. Origina muitas confusões. Dá margem a muitos desencantos. Promove, nos menos calmos, oscilações de humor que nem sempre são de efeitos úteis e agradáveis.

No terreno educacional, então, onde qualquer palavra mal-empregada pode constituir um grave perigo, essa aplicação do termo deve ser cautelosa e justa.

E nenhum termo é tão necessário, como esse, à obra de educação. Nela ninguém poderá ser, na verdade, um instrumento eficiente, se não estiver convencido (alegremente convencido) de que faz parte de um conjunto a que se tem de ajustar com sinceridade e energia.

Cooperação. Sim. Mas *cooperação*, realmente. Não vamos agora interpretar a palavra absurdamente. Seria perturbar as boas intenções do vocábulo, dar uma certa prova de desconhecimento da sua correspondência com a ação prática, e ainda imitar Talleyrand, aquele homem que se servia das palavras não para exprimir, mas para esconder o pensamento.

O pensamento deve ser uma coisa bonita, que tenha gosto em aparecer e em se demonstrar.

Rio de Janeiro, *Diário de Notícias*, 17 de agosto de 1932

Educação, acima de tudo

Comunicado recente dos Estados Unidos informa que, embora todos os serviços públicos, nesse país, tivessem sofrido consideravelmente os efeitos da crise econômica irradiada pelo mundo inteiro, os serviços de educação experimentaram apenas ligeiras alterações, não havendo indícios "de que as economias projetadas nos próximos orçamentos atinjam o ensino público".

Mais adiante, o mesmo comunicado acrescenta: "O público dos Estados Unidos mantém-se fiel ao princípio geralmente adotado de que a educação constitui um remédio para todos os males".

Essas duas curtas transcrições são suficientes para dar ao leitor uma ideia do que é, em certos países, o problema da educação e dos esforços a que se obrigam os responsáveis pelo bem coletivo, a fim de que tudo lhe seja facilitado, não apenas nos dias prósperos, mas, principalmente, nos momentos de aflição, quando todas as calamidades se aglomeram ameaçando a vida dos povos e o destino das civilizações.

Das vagas palavras dos discursos cívicos, que concitam os cidadãos a grandes gestos e atitudes definitivamente salvadoras, sem no entanto lhes oferecerem nem base nem oportunidade para a sua positivação, passamos, felizmente, para uma época de grandes realidades, em que a beleza do sonho se transportou integralmente para a da ação vivida. Tudo que os nossos avós andaram sonhando não deveremos continuar a sonhar mais, porque isso eles já o fizeram da melhor maneira possível, esgotando torrentes de inspiração, sem falar nos sacrifícios a que os conduziram essas gêneses abstratas de mundos que agora precisamos criar.

Hoje, lidos todos os livros, ditas as palavras todas, pensados todos os pensamentos, os homens ansiosos de realizar na terra alguma coisa têm de modelar com as suas mãos os acontecimentos tão longamente esperados, e pelos quais já passaram tantos sofrimentos e êxtases, audácias e desilusões: a história inteira da vida de cada homem e de todos os homens.

Parece que, no plano das atividades obstinadamente construtoras e serenas, só a educação pode ser a técnica adequada para obra semelhante. Educação compreendida num grande sentido, envolvendo todos os problemas, buscando a exata solução de todos, atenta a cada pequena oscilação da vida, e sempre justa nas sugestões que alvitra, e sempre bela na execução que lhes dá.

Por essa obra, um empenho unânime daqueles que passam pelo mundo de olhos abertos deveria, numa vigilância constante, estar agindo, obstinado e fiel.

Inúmeros outros assuntos podem ser atendidos de vários modos, com transigências, reduções, adiamentos. Este, da educação, é inexorável: e, como as coisas que participam da divindade, tem consequências implacáveis, produzindo os resultados fatais que tiverem sido preparados tanto por um interesse esclarecido e elevado como por uma irrefletida negligência.

O Brasil, que fez uma revolução não para se perder, mas para se elevar, para se corrigir de seus erros verificados e adotar um novo caminho para a conquista de uma grandeza autêntica, não pode, no grande número de casos urgentes que aparecem para ser tratados, olhar superficialmente o caso da educação, que é, afinal, básico e inadiável.

Toda revolução pressupõe uma transformação. Geralmente, rápida. A educação, forma lenta das revoluções, assegura essa transformação que se deseja. De modo que há, entre as duas palavras e os dois fatos, uma dependência rigorosa. E não se pode justificar a primeira sem que se dê à segunda, além do seu sentido profundo, uma realidade forte e convincente.

Rio de Janeiro, *Diário de Notícias*, 21 de setembro de 1932

Vida e educação

Logo de início, este livro de Gorki, *Minhas universidades*, tem uma frase que faz pensar: "Tinha chegado muito cedo a saber que a resistência contra o ambiente que o cerca é, precisamente, o que forma o homem".

A experiência do passado deixou-nos, realmente, uma série inesquecível de exemplos, em que vemos os mais admiráveis tipos humanos surgindo dentre acontecimentos hostis, rodeados de todas as misérias, de todas as desilusões, de todos os obstáculos de tempos incompreensivos e multidões cruéis.

Nisso, não variou o presente, nem será diverso o futuro: uma estirpe de singulares poderes está sendo continuamente preparada entre as vicissitudes mais duras da vida; e o sangue das verdadeiras elites arrasta um sombrio peso de grandes fatalidades vencidas.

As facilidades medíocres, pelo contrário, costumam ambientar formas sem personalidade, que vingam pela generosidade que as cerca, sem esforço e sem energia, ignorando, elas mesmas, esse mérito de afirmar qualquer virtude mediante provas rigorosas, que, de tão absurdas, às vezes, parecem a simples máscara de uma sumária condenação. Nessa ignorância vai, aliás, a sua maior infelicidade. A criatura humana é, senão definitivamente o "animal de rapina" que viu Oswald Spengler, o espírito de vitórias que está todos os dias vibrando a cada solicitação mais veemente.

O destino da humanidade, ampliando e evidenciando o destino individual, revela essa inquietude sempre vencedora e sempre renovada que vem conduzindo as civilizações pelo tempo, como uma longa batalha que nunca se acabará de ganhar.

Temos um deslumbramento constante de heroicidade. Mesmo debaixo de certos requintes de silêncio, de renúncia, de desinteresse, é esta superação infinita que estamos sonhando. É este gozo de afirmar um poder enérgico, inspirado, radioso, esta espécie de coragem misteriosa de que se é capaz de dispor para a definição de uma atitude excelente.

E afinal o sentido da educação é o de prover o homem das forças que lhe sejam necessárias para essa realização de si mesmo.

Facilitar-lhe tudo seria empobrecê-lo. Seria, mesmo, amesquinhá-lo. Seria como que lhe confessar a sua insuficiência de recursos próprios para a conquista de si e o domínio das circunstâncias. Dificultar-lhe tudo, porém, seria, inversamente, tolher desde logo a ação; aprisioná-lo; fechá-lo entre muros estéreis, com a suprema crueldade de lhe mostrar ao longe, inacessível e maravilhoso, um mundo que ele sabe que nunca chegará a atingir.

Assim, é ainda entre os extremos que desta vez se encontra a melhor verdade.

Precisamos de um ambiente de estímulos vários, onde todas as grandes aspirações humanas se sintam acordar, e tenham o encantamento de si mesmas. Há nesse narcisismo uma virtude extraordinária. O homem gosta de se ver belo. Por que não se lhe há de proporcionar uma oportunidade para que se sinta assim? Por que há de o mundo ter esse empenho de estar sempre diminuindo as criaturas, detendo-as, afligindo-as, fazendo com que tenham de si mesmas uma impressão dolorosa de fracasso e incapacidade?

Esses caminhos das alturas costumam ser feitos de grandes pedras amargas. Mas, se há que animar os caminhantes para a escalada, convém que não lhes prendam os pés ao chão. Ele se despedaçará em tentativas audaciosas. Mas estará cumprindo seu destino admirável de vencedor, ainda que não chegue ao fim.

Os campos rasos são um tédio tristíssimo. Os níveis estão certos, os horizontes são vistos de qualquer ponto. Nenhum perigo desafia o sonho. É apenas andar. Para quê?

A não ser alguma criatura espantosa, que seja capaz de um milagre, em tal cenário, o comum é monotonia e desgosto. Uma obrigação passiva de viver, que tira à vida o brilho de todos os seus dons e o gosto ardente de suas fecundas amarguras.

Rio de Janeiro, *Diário de Notícias*, 30 de setembro de 1932

O sonho da educação

Estes dias que passamos lembram Remarque, e o seu cortejo de cenas belas e atrozes, em que só o poder amoroso do espírito humano está, a cada passo, salvando a vida dos amargos desastres da guerra.

E entre as cenas de Remarque, tão cheias de grandeza e de dor, há uma pequena e patética, em que afinal se resume toda a tragédia dos corações generosos que não desejam, sequer, possuir aquilo que parece poder fazer falta a alguém, e que se resignam a abocar mesmo de quanto podiam ter como mais legítimo, pela inquietude de estarem sendo donos de uma riqueza que faz chorar os olhos dos pobres: é aquela em que o jovem de muletas passa diante de seu camarada mutilado e sente a miséria com que ele o contempla, pensando que está ali sem pernas, menos que o outro, inutilizado pelo acaso inexorável. Entre os dois a diferença é tão grande que o fato de estar apenas machucado parece um privilégio odioso.

E que delicadeza de alma tem Remarque frisando a brandura com que o rapaz evita ser visto, incapaz de suportar o peso daqueles olhos aflitos, cheios de uma inveja comovida, nem consolável nem remediável.

Cada um de nós tem o seu dia de sorte, que nem sempre coincide com a sorte geral. Dia em que se tem de passar dançando, involuntariamente, diante de multidões de estropiados e paralíticos. É certo que muitas vezes pudemos ter estado nessa mesma multidão e ter visto outros dançando, e ficado com uns olhos imensos desses olhos que as crianças têm mirando vitrines de brinquedos. Mas isso não basta para justificar a hora feliz: e, quando se nasceu, efetivamente, com essa disposição de ser melhor, que, por não ser dom de todos, tem de ser sacrifício de alguns, nem se sabe qual é melhor: se aceitar o ritmo do instante que chega e que pode levar tão longe, se ficar na multidão, passiva ou desesperada, pela silenciosa mágoa infinita de não querer ser glorioso em face da sua miséria.

Esse estado de indecisão, capaz de se resolver por uma definitiva renúncia, pode acordar em qualquer instante num coração sem egoísmo; e pode vencê-lo no ímpeto da conquista maior da vida, embora sem lhe diminuir as virtudes e os poderes que latentemente continuam garantindo o direito a essa conquista.

Há algumas existências admiráveis que foram feitas apenas desse pudor de serem, integralmente, tudo quanto podiam ser. Pudor de uma glória excepcional. Humildade deposta em oferenda sob os olhos frios da turba que não o sabe, que não o compreende, que o aceita sem espanto, sem júbilo, sem emoção. Dádiva inútil, em que se morre sem auréolas, e sem que ao menos daí floresça para todos, inúmeros ou raros, aquela felicidade que se deixou de querer. Fica, às vezes, apenas a lembrança. Que ninguém imita.

Porque essa é uma coisa que não se faz quando se quer, mas quando se pode, – como natural consequência de uma vocação autêntica.

A obra que hoje se vem tentando, em educação, reflete uma concentração de vocações assim. Há nestas criaturas, que se entregaram à aventura de fazer o mundo melhor, um desencanto absoluto pela felicidade exclusivista, e um desejo angustioso de se repartirem, de distribuírem as vantagens que a vida por acaso lhes tenha oferecido, de darem a todos o seu bem interior, e de verem em redor de si crescer, simultaneamente com o seu, um próspero sonho coletivo.

Os ideais da moderna educação baseiam-se principalmente nesse comovido interesse humano por uma substituição das vantagens do pequeno número pela sua expansão na maioria.

Até onde se poderá conseguir tudo isso? Até onde terá o coração esta força de sustentar tão alto e tão sozinho uma aspiração que só alguns corações idênticos entendem, porque a sentem do mesmo modo?

Essa é uma pergunta que envolve o próprio sentido da vida, e a sua orientação. Da grande vida universal, e desta obscura vida dos que estão vivendo desse intuito, e por ele, ganham uma grandeza nova, que ultrapassa a grandeza do próprio universo.

Rio de Janeiro, *Diário de Notícias*, 4 de outubro de 1932

Equilíbrio

Não há nada mais triste no mundo que o voo do espírito detido pelo peso das necessidades. As obrigações que o homem criou para si mesmo, no sistema de vida que os séculos superpuseram à vida espontânea, começaram por ser uma disciplina de relações mútuas, mas acabaram por uma tortura de prisões múltiplas, diferentes umas das outras para tornarem ainda maior o sofrimento.

O homem tendo que atender a tantas coisas que inventou, secretamente pergunta a si mesmo se valeria a pena tê-las inventado, para assim limitar sua liberdade, para assim ter de ficar como um operário vigilante junto a engrenagens que, ao menor descuido, o sacrificarão – sentindo, no entanto, que a vida verdadeira não é aquela posição atenta do dever, exclusivo, monótono, mesquinho, mas uma participação nesse sentimento total do universo, nessa gravitação geral em que os acontecimentos libertam seus ritmos na plenitude de seu poder de realização.

Ao lado dos seus mais profundos e generosos impulsos de sociabilidade, o homem parece continuar a ser uma força individualista, que em sua própria concentração prepara a riqueza que, em seguida, poderá converter em favor coletivo. Não pode dar quem nada tem. E para ter é necessário adquirir, produzir, acumular, multiplicar: o rendimento se verificará depois, como a própria continuação desse processo de enriquecimento humano, que, atingida uma grandeza que o emancipe, logo se põe a transbordar.

Talvez não seja difícil encontrar-se justamente nos que mais apelam para uma civilização feita conjuntamente, e igualmente distribuída pelos homens todos, esse protesto contra o desvirtuamento da capacidade de cada um; contra a limitação de seu destino, por fatalidades detestáveis: contra a incompletação de desenvolvimento, que obrigou, criaturas normais como muitas outras, a precipitarem numa formação medíocre, dando-lhes para sempre esse gosto inexato, e essa aparência castigada dos frutos amadurecidos à força.

Continuam, pois, os ideais individualistas governando a ação mais avançada dos homens. O que se pode dizer é que esse individualismo perdeu a estreiteza com que antes o consagravam: não é mais uma forma luxuosa de viver, para uso apenas de alguns, confinados num mundo pretensioso, inútil e falso. Esse tipo de individualismo estéril não foi, afinal, o dos grandes individualistas de todos os tempos que, seguindo aquela marcha de enriquecimento próprio a que acima nos referimos, foram sempre os mais humanos dos homens, sendo, por isso mesmo, os que, no quadro medíocre da vida, poderiam parecer mais sobre-humanos.

Infelizmente, as palavras têm o amargo destino de, às vezes, comprometerem os pensamentos. Pelo ódio a palavras desfiguradas ou mal compreendidas, tem-se visto perseguirem-se as aspirações que elas definiam tanto quanto os homens que as pronunciavam. Há uma injustiça largamente esparsa pela terra, uma obstinada incompreensão que bem poderia ser responsabilizada por estas demoras de evolução, – se acaso – e sem o menor fatalismo – não vai nisto tudo um ritmo necessário, média das possibilidades humanas vencendo os tempos.

Uma coisa, porém, isenta de todas as dúvidas é o sonho de acelerar o progresso humano. Sonho vago, enquanto não se determina – e quando poderá isso ser feito? e por quem? – o que ao certo caracteriza definitivamente esse progresso.

De qualquer modo, parece que não se trata de obra a encaminhar por uma só direção e num único sentido. Será para abranger o mundo, mas para não perder de vista o homem, que o constitui. Para se divulgar largamente, mas sem se dissolver nessa grande divulgação, conservando sempre vivos os núcleos em que se elabora, por uma força espontânea e decisiva, a plenitude ardente que é, afinal, a garantia de uma constante irradiação.

O mundo é complicado e os homens se desentendem tão facilmente quanto seriam capazes de se entender. Mas o que importa é que se faça uma libertação destas necessidades obrigatórias em que a existência se mecaniza, esquecendo-se de que é vida, ou lembrando-se disso com angústia.

A educação pretende hoje realizar esse equilíbrio. Todas as criaturas deviam empenhar-se em ajudá-la, sabendo que trabalham no seu próprio interesse e, ao mesmo tempo, no interesse humano em geral.

Rio de Janeiro, *Diário de Notícias*, 30 de outubro de 1932

Despertar

Se a obra de educação consiste na formação humana, parece que a sua maior dificuldade reside no despertar do indivíduo para o conhecimento ou sentimento dessa necessidade.

Para os que se detêm a observar o mundo, uma grande parte da humanidade caminha do nascimento à morte como em pleno sonambulismo, agindo e reagindo movida quase automaticamente, apenas com vibrações maiores quando sobre ela pesa alguma fatalidade mais exorbitante.

A tendência geral é para a acomodação da rotina, para a quietude quase desumanizada do hábito. Uma espécie de sufocação da vida, esquecida de seu próprio valor.

A maiêutica de Sócrates era um acordar contínuo dessa poderosa e secreta força que, dentro da vida, se afirma como vida mais nítida. E o seu *daímón*, aquela sua inspiração vigilante e certeira, não deixava de ser, na verdade, a voz latente e clara de uma vida mais alta, como, em Gandhi, a "pequenina voz silenciosa" que, do extremo da Ásia se tem feito, no entanto, ouvir até a Britânia, de indiferentes ecos...

É verdade que há um velho provérbio hindu que diz: "não acordes aquele que ainda estiver adormecido", – querendo significar que os conhecimentos devem chegar no momento próprio, e a precipitação é um mal a condenar.

Mas, infelizmente, a propensão para o sono é tão grande, há uma fadiga às vezes tão lamentável, na humanidade, que a voz da vida precisa falar com energia, para que o momento propício de inúmeros destinos não se perca inutilizado pela culpa do seu silêncio.

E há, nesta ação de despertar, uma beleza criadora, luminosa e forte. Fazer o homem contemplar-se e querer alguma coisa para o seu destino, e trabalhar para ele, e ganhar ou perder com uma superior compreensão é, afinal, fazê-lo colaborar com os próprios ritmos divinos a que tanto se atribuíram os resultados bons ou maus da vida.

Pode-se despertar com uma dolorosa emoção: há tantos abismos irreparavelmente inominados, em redor de quem desperta; há tantas distâncias extraordinárias para todos os lados; e a força do equilíbrio, entre elas, parece tão difícil e imperfurável, que o homem pode toldar os olhos com a ilusão de uma doçura amorfa, abandonado aos poderes exteriores.

Mas, abandonar-se a esses poderes, depois de ter despertado, é já uma coisa muito diferente do que estar entregue à sua ação, alheio a esse conhecimento.

Oh! este sono que vai levando os mundos nas mãos do tempo, em contínuas eternidades...

Vai-se dormindo, e o universo todo é apenas o conteúdo do sonho limitado que se vai sonhando.

Acorda-se, e o universo precipita-se nessa limitada vida, lança-lhe para longe todos os limites, integra-se nela, e, só por isso, tudo se põe diverso, e uma nova luz colore com interpretações novas cada acontecimento que poderia existir sem a mais superficial definição.

Rio de Janeiro, *Diário de Notícias*, 19 de novembro de 1932

Arte e educação

Um instante de beleza pode causar a transformação total de uma vida. Basta que a ação se produza com aquele ritmo e aquela proporção que tornam as coisas adequadas e determinam esse ajustamento harmonioso e surpreendente que os homens se acostumaram a chamar pelo nome de milagre.

As grandes obras de arte foram sempre um milagre. Diante delas veem-se os homens mais hostis converterem-se de súbito: o êxtase é um indício dessa mudança brusca, em que se paralisam todas as energias bárbaras, e o espírito aflora, só com as suas virtudes requintadas, à contemplação do prodígio, que de certo modo o reflete.

Tudo quanto se tem escrito sobre o poder da arte, nessa transfiguração humana, não é apenas matéria mitológica ou poética.

Aliás, a mitologia e a poesia são tudo quanto há de mais verdadeiro, transposto numa linguagem de símbolo que, infelizmente, nem todos chegam a compreender com precisão.

Mas, em exemplos mais fáceis, vemos como a arte aproxima as criaturas – e era Tolstoi que vagamente a definia como "a aproximação fraternal dos homens".

Assim é que Paderewski, malgrado as relações cortadas entre a Lituânia e a Polônia, pediu licença para entrar naquele país, a fim de dar um concerto em Kovno.

Os poloneses que o quiserem ouvir, poderão obter uma licença especial de entrada no país.

É verdade que seria mais belo só esse interesse musical bastar como passaporte; mas já é uma grande coisa que se tenha a cortesia de atender, em tal situação, aos interessados pela arte.

Ela é, aí, uma espécie de esquecimento sobre a contingência triste dos ódios e das incompreensões.

Um esquecimento que poderá ser estimulado cada vez mais, a ver se algum dia se extingue essa vocação, que ainda resta no homem, para a intolerância, a luta e a morte.

Os grandes gênios da arte – como os da ciência – não têm pátria, não têm limites e, malgrado sofram, muitas vezes, do julgamento dos contemporâneos que os reduzem, no seu conceito, à mediocridade mais detestável, sempre sabem estar num ambiente universal que é a sua mais íntima e duradoura satisfação.

Que possuem esses homens de extraordinário? Apenas um dom profundo de beleza, – porque é também beleza a ciência que se faz sem abolir as dependências entre o individual e o universal.

Se conseguíssemos generalizar a virtude dos grandes homens que a realizam até os homens que as contemplassem como outras tantas obras de arte, modeladas com pensamento e ação, é possível que atingíssemos uma era que apenas se faz prometida, que apresenta faces momentâneas, de volúvel aspecto, sendo, no entanto, uma aspiração tão grande deste mundo cansado de ser belo sem se fazer entender.

Rio de Janeiro, *Diário de Notícias*, 23 de novembro de 1932

Aprender

O mundo parece que só não progride mais rapidamente porque há, em muitas criaturas, um visível desencanto de aprender. De aprender mais continuamente, de aprender sempre.

Em geral, atingido um limite de conhecimento indispensável a certas garantias, o indivíduo instala-se nele, e deixa correr o tempo, sem se preocupar com a renovação permanente das coisas. São esses, na verdade, os que se surpreendem quando, certo dia, encontram circunstâncias diversas a atender. Pensaram que tinham formado um mundo inalterável e lhes bastava ir até o fim nessa cômoda rotina.

Mas, em alguns casos, não possuem, sequer, uma limpidez de vistas suficiente para aceitarem a certeza dessa renovação. Obstinam-se em pensar que têm a verdade consigo. E não somente em pensar, mas em dizer.

Ora, quem é dono de uma verdade atingiu, decerto, um grau de superioridade inexcedível. Quem possui uma verdade não se vai agora modificar em atenção a nada nem a ninguém. É todo-poderoso e perfeito.

Assim, os rotineiros pacíficos, viciados na imobilidade das ideias, e os rotineiros pretensiosos, impregnados da convicção de uma sabedoria insuperável, constituem duas fileiras imensas, entre as quais passam a custo, e com uma impressionante coragem, os que se acostumaram a pôr sobre todas as coisas uma claridade sem enganos, e conquistaram o gosto de atingir cada dia um ponto mais alto para o seu destino.

Esse gosto provém da humildade persistente de aprender.

A cada instante há na vida um novo conhecimento a encontrar, uma nova lição despertando, uma situação nova, que se deve resolver.

Entre os inertes que ou não dão por isso ou não podem assumir nenhuma atitude, e os presumidos, que, imperturbavelmente, deixam cair o seu orgulho e o seu tédio sobre os mais contraditórios acontecimentos, – aqueles que, afinal, constroem alguma coisa no mundo organizam suas atividades para vencer a experiência que se lhes apresenta.

Vencem-na pela inteligência, com que a aceitam, pelos poderes com que a compreendem, pela interpretação e o estímulo que a seu respeito são capazes de formular.

Tudo isso é aprender. E aprender é sempre adquirir uma força para outras vitórias, na sucessão interminável da vida.

Os adultos aconselham frequentemente às crianças a vantagem de aprender, vantagem que tão pouco conhecem e que a si mesmos dificilmente seriam capazes de aconselhar.

Pode ser que um dia cheguem a mudar muito, e deem tais conselhos a si mesmos.

Daí por diante, o mundo começará a ficar melhor.

Rio de Janeiro, *Diário de Notícias*, 10 de dezembro de 1932

Educação – palavra imensa...

Certa vez, numa roda em que se discutia o problema educacional do Brasil, quando a Reforma do Distrito Federal apenas se esboçava num projeto, chegamos à seguinte conclusão: a educação, nas escolas, propriamente, era a coisa mais fácil de realizar... Facílima... O difícil era obter um ambiente geral favorável à obra...

E discorríamos assim: a criança dispõe de dois meios que sobre ela atuam poderosamente: a escola e o lar. (Vamos admitir como *lar* a própria vida social, e não somente o convívio da família.) Comecemos, então, pela escola: a professora que colaborar nesta obra de Reforma tem de estar, ela, também *educada* para o fazer. Mas a professora, por sua vez, depende de vários fatores... E esses fatores, como estarão?

Depois, o lar... O lar... E alguém lembrava: primeiro, os pais, depois, os parentes, depois, os vizinhos, depois, os patrões dos pais, depois... Depois, para além dos patrões, já se sabe que a escala ia subindo e atingindo as autoridades administrativas, uma por uma, pela fatalidade inflexível da justiça...

E pensávamos: se educamos a criança, contando apenas com a cooperação da escola, iremos atirá-la a um mundo inadequado, impróprio para a sua vida. Purificamos-lhe um ambiente, para, depois de a acostumarmos a ele, fazê-la viver noutro, muito diferente... Precisamos, pois, influir no lar, com a máxima energia. Mas o lar, por sua vez, não está em condições de aceitar essa influência, porque, fora da escola renovada, tudo está em contradição com ela...

E com tristeza recordávamos o que nos dissera uma colega, depois de ler um livro que escrevêramos para a infância.

– Você pôs em ação gente tão boa que as crianças vão pensar, lendo o seu livro, que estão sonhando...

Ora, a palestra foi longa, e apareciam sugestões otimistas de todos que participavam dela. Imaginamos o seguinte: esta Reforma que aí vem precisava vir junto com uma Reforma geral da vida. Do ponto de vista pedagógico, estávamos certos de que, para a realizar, não haveria obstáculos, ou, se os houvesse, seriam mínimos. A família, esclarecida pela escola, e uma vez apoiada pelo ambiente social, seria fácil de transformar. Portanto, a dificuldade única estava no ambiente. E começamos a cortar nomes: põe-se fora fulano, que é medalhão; beltrano, que é cavador profissional (desculpem-nos a linguagem, mas, era essa mesma); sicrano, que está em tal lugar pela tendência natural dos corpos gasosos... Etc. A lista não ficava em três, está claro... Mas, os tipos eram mais ou menos os mesmos, porque a imbecilidade não tem muitas nuanças...

Como se vê, nós estávamos arquitetando também o nosso projetozinho revolucionário, se bem que apenas ideal, e, como bons pacifistas, sem a mais leve lembrança de armamentos...

Veio a Reforma de Ensino. Admirável. O professorado com que se contava não desmentiu as nossas esperanças. Porque temos o hábito de só contar com as criaturas inteligentes. Mas... o resto?

Fora da escola, o ambiente era aquela opressão. A professora agia com pureza, modificava a atmosfera para os seus alunos... E o governo, através de todos os seus representantes legalistas, juncava o terreno social de uma abundante sementeira de erros, de vícios, de mentiras, de injustiças...

Não sabemos que milagre pode operar o magistério que, apesar dessa corrupção, a obra educacional prosperou. Se os lares não puderam fazer o milagre de se transformar, pelo menos entraram em contato com o trabalho dos professores. E esse contato é um início promissor.

De repente, operou-se o milagre maior da Revolução. E existe agora um governo que tem por preocupação fundamental sanear o ambiente moral e social do país.

Assim, pois, está realizada a revolução que desejávamos para podermos educar a criança!

Se ela permitir isso, apenas, não terá sido em vão que o sangue brasileiro se derramou, e o coração brasileiro sofreu.

Contávamos, naquele tempo, só com a capacidade de transformação do professor. Hoje, temos a promessa igual de todo um governo. A Reforma de Ensino do Distrito Federal está salva. A criança brasileira está com a sua educação garantida. A pátria é isso: uma infância que evolui continuamente...

Rio de Janeiro, *Diário de Notícias*, 7 de dezembro de 1930

Educação e trabalho

Não somos dos que acreditam que o fator econômico, por si só, seja capaz de resolver todos os problemas que agitam a humanidade, porque a alma dos homens tem sutilezas profundas e ansiedades de natureza própria que os meios objetivos não são capazes de completar nem satisfazer.

Mas não há dúvida que, por detrás de todos os problemas humanos, está sempre, de certo modo, se insinuando esse fator, e determinando com a sua presença a tendência dos seus rumos e das suas soluções.

Onde se pode verificar isso claramente é na obra educacional.

Possuímos uma excelente Reforma de Ensino em que nenhum governo tem o direito de tocar, a não ser para desenvolver e aperfeiçoar. Possuímos, igualmente, uma quantidade conhecida de professores absolutamente desejosos de pôr em prática os modernos ideais pedagógicos, tendo especializado, nesse sentido, a sua cultura, e estando aptos a levar avante um programa ideológico de acordo com o momento que o mundo atravessa, e que o Brasil está exigindo, pela sua natural expansão.

Pois bem, o primeiro passo desses professores tem de ser para efetuar uma necessária aproximação entre o lar e a escola, a fim de facilitar aos pais a compreensão da atualidade, favorecendo assim o movimento educacional com o apoio consciente da família.

Para chegar a esse resultado, dispõem os professores das reuniões de Círculos de Pais, que são o centro mais importante, quando devidamente influenciados, para atuação da pedagogia moderna.

Infelizmente, porém, quem está ligado ao movimento das nossas escolas, ou o acompanha com olhos observadores, terá de verificar que, por maior que seja, de um lado, o esforço dos professores e, de outro, a boa vontade das famílias, a frequência dos Círculos de Pais não só é, em muitos casos, diminuta como também de pouca utilidade pelos elementos que a eles comparecem.

A razão disso é fácil de averiguar. Quando se expedem convites para uma reunião desse gênero, as respostas vêm logo pelos alunos: "O papai não pode vir, mas vem minha madrinha..." ou: "A mamãe a essa hora diz que não pode, mas se a senhora quiser mais cedo um pouquinho... ou noutro dia..."

E se a gente perguntar por que é que o papai não pode ir e a mamãe também não, deixando, assim, de participar das reuniões, ou fazendo-se representar pelos compadres, pelos parentes etc., as crianças explicarão, meio envergonhadas, que o papai trabalha até tarde, que a mamãe é bilheteira no cinema, quando não diz que todos os dois fazem serão todos os dias ou trabalham até tão tarde que, chegando à casa, não têm forças para tornar a sair.

A professora que conhecer seus alunos saberá, também, adivinhar os inúmeros casos em que a ausência se explica pela falta de roupa decente para comparecer a uma reunião na escola, e até pela falta de hábito social.

Ora, tudo isso está, inegavelmente, ligado ao problema econômico. E é assim que, em educação, esse problema influi poderosamente, dificultando a homogeneidade educacional que devia nivelar a casa e a escola. E como a educação é a mais importante questão, para um povo...

Rio de Janeiro, *Diário de Notícias*, 12 de dezembro de 1930

Vida sem limites

Não pretendo fazer a análise das várias conclusões de ordem educacional aprovadas agora no Segundo Congresso Feminista. Mas não me posso furtar a um movimento de profunda estranheza quando leio este parágrafo 21, que me parece realmente mesquinho:

> que se promova a criação de uma liga de "Assistência Educacional às Meninas Pobres", com o fim de socorrer com roupa e livros as crianças pobres do sexo feminino, para que possam fazer o curso primário das escolas e ainda o secundário e superior as que se mostrarem mais aptas e capazes.

Não quero passar daqui. Pretende-se, pois, inicialmente, dividir a infância em duas partes: meninas para um lado, meninos para o outro. A "Liga" favorecerá as meninas. E os meninos?

Ora, isto é menos do que já temos. A escola atual, com a coeducação dos sexos, não instituiu nenhum obstáculo à entrada de meninas nas escolas. Em nenhuma obra escolar moderna se vê esse critério exclusivista em benefício de um dos sexos. Por que, pois, o Congresso Feminista, que certamente se supõe repleto de ideias novas, permitiu que fosse aprovada uma conclusão que, realmente, dá uma triste ideia das aspirações feministas, a ponto de sacrificar uma parte da infância que não tem culpa nenhuma de nascer com um sexo que, se as feministas provam que não é superior ao seu, terão decerto mais dificuldades em provar que lhe é inferior?

Por esse andar cria-se uma das limitações mais inesperadas da vida. Começa-se por distinguir, no mundo, duas facções definidas: meninos e meninas que, mais tarde, serão homens e mulheres, eivados de um preconceito que o feminismo se encarrega de positivar bem, agravando-o. Quando se chega à mesquinhez de estabelecer diferenças entre os sexos, quebrando lanças denodadamente por um (e como compreender essa unilateralidade, na vida feita de equilíbrios complexos?), já não é de estranhar que também se estabeleçam os preconceitos de raça e de pátria, causas de todas as guerras, e horror de todos os idealistas puros, ainda quando um pouco loucos... à força de desinteressados...

Ora, se o Congresso Feminista anda tão interessado pela paz, como pode conciliar um ideal que depende da emancipação espiritual das criaturas de todos os limites pessoais e nacionais, se de antemão está preparando uma proteção injusta para as meninas, como uma espécie de homenagem ao próprio sexo?

Pode ser que eu esteja errada, mas, por este parágrafo 21, chega-se a crer que as feministas odeiam os homens. Tanto que já principiam por lhes fazer guerra em pequenino. E isso, positivamente, fica feio, além do mais... Porque se as mulheres fizerem guerra ao homem, como é que vai acabar o mundo? A própria fisiologia terá dificuldades em se explicar saudavelmente...

Vejo, porém, que as ideias das sras. congressistas não chegam a esses extremos absurdos. Não houve, por exemplo, nenhuma tese sobre divórcio. Isso significa, sem dúvida, que todas as mulheres estão contentes com os seus maridos, a não ser que algum malicioso venha dizer que não se cuidou do divórcio por não se pensar mais na existência do casamento... Já se vê que isso seria um gracejo de mau gosto, quando o congresso se encerra com a palavra ortodoxa do sr. Augusto de Lima...

Vejo que as suas ideias não chegam a esse extremo não só porque permitiram a palavra de alguns senhores nesse recinto feminino que deve ter sido muito interessante, como porque também foram aprovadas algumas medidas tendentes a amparar os pequenos vendedores de jornais, que ainda pertencem àquele chamado noutras eras sexo forte, que já ninguém sabe agora a designação que tem...

Isso já é outro feminismo. E esse é que me parece o legítimo, o digno de ser defendido por todas as mulheres inteligentes, trabalhadoras, capazes. Um feminismo que não tem fronteiras. Que não imita esse exclusivismo masculino que justamente vem combatendo. Um feminismo em que as mulheres sejam capazes de querer ser maiores do que os homens não pela conquista de meia dúzia de direitos, facílimos de conseguir, que há muito, mesmo, perderam o caráter de qualquer novidade, mas pela capacidade de serem mais amplas na sua concepção da vida. Pelo seu poder de se sentirem senhoras da criação, como a própria natureza as fez, concedendo-lhes o dom da maternidade.

Não quero, decerto, fazer a apologia do idealzinho da mãe de família. Não. Mas quero frisar o valor da palavra maternidade quando se refere não apenas aos filhos do próprio ventre, mas a todos os filhos que existem na Terra, aos filhos de todas as mulheres, aos filhos de toda a vida, aos filhos de toda a criação, à riqueza infinita de se sentir protegendo tudo quanto palpita, tudo quanto é, foi, quanto está para ser e até quanto nunca será...

Esta amplidão de sentir, que extingue todas as contendas, que inutiliza todas as guerras, que abrange em si todas as vidas, e, dentro da humanidade, todas as raças, todos os povos, todos os credos, todos os seres. Essa intuição feminina do universo, que podia ser um motivo de deslumbramento e estímulo para melhorar os pobres homens tão indesejados, pode ser que seja apenas um grande golpe de idealismo. Mas não conheço nenhum grande movimento transformador que não tenha sido idealismo ousado, inoportuno, inadmissível, pelos cultores das realidades imediatas...

Em todo caso, parece mais belo que esta realidadezinha fácil de dar uns vestidinhos e uns livros "só às meninas"...

Ah! vida, vida, assim te mutilam todos os dias, a ti, que és sem limites, e até sem definição...

Rio de Janeiro, *Diário de Notícias*, 1º de julho de 1931

Folclore e educação

A contribuição dos poetas, na obra da Nova Educação, consiste, principalmente, nesse abrir de perspectivas que eles talvez não percorrerão, mas sem as quais as experiências e técnicas ficariam de certo modo limitadas, sem esse apelo para a distância que a ação é que atende mas o sonho é que causa.

Com um rápido olhar se poderiam ver, em todas as partes do mundo onde se está procedendo a uma renovação de ideais, que, à margem, ou dentro desse movimento, uma voz, pelo menos, de inspiração e inquietude, sustenta o ritmo das mais difíceis tentativas práticas, com esse pequeno e, não obstante, invencível poder que é o da poesia.

E é natural que haja entre educação e poesia uma assonância completa, uma vez que ambas são a própria ansiedade de representar a vida: uma, imaginando-a, outra procurando cumpri-la, uma, anunciando-a, outra fixando-a em realidade.

Há, porém, que distinguir entre poesia e poesia, como entre educação e educação.

E é interessante ouvir como essa admirável Gabriela Mistral, dona de uma poesia forte, profunda, primitiva, em que parece haver ainda o cheiro da argila bíblica, falando do valor da poesia em educação, define a do folclore como importantíssima, pelas suas virtudes de pureza original, de sugestão e de simplicidade.

> Minha mãe não sabia contar, ou não gostava de o fazer. Meu pai sabia contar, mas sabia coisas demais, desde o seu bom latim até o seu nobre desenho decorativo; era homem extraordinário, e eu prefiro recordar-me dos contadores comuns. Dois ou três velhos de aldeia deram-me o folclore de Elqui – minha região – e essas narrativas, mais a história bíblica que me ensinou minha irmã professora, em lugar do cura, foram toda a minha literatura infantil. Depois, li quantas obras-primas do gênero infantil andam pelo mundo. Quero dizer que as narrações folclóricas dos meus cinco anos e as outras que vieram depois, com a minha

> paixão folclórica, são as melhores para mim, são o que os professores de estética chamam a beleza pura, – as mais embriagantes como fábulas, e as que eu chamo clássicas por sobre todos os clássicos.
> O narrador no folclore não usa "floridismo"; não borda enfeites pedantes nem tediosos; não força o interesse com o adjetivo habilidoso: o interesse brota, honrado e límpido do próprio núcleo da fábula. O narrador folclórico é vivo, pela sobriedade, porque conta quase sempre alguma coisa mágica, ou extraordinária, pelo menos, que está bem carregada de eletricidade criadora. Com a repetição milenar, a narrativa, como o bom atleta, perdeu a gordura dos detalhes supérfluos e ficou *en puros músculos*. A narrativa folclórica, desse modo, não é longa nem se afunda em digressões: caminha reta como a flecha para o alvo, e não cansa olhar de criança nem de homem. Estas são, a meu ver, as qualidades principais da narrativa popular.

Se isso não bastasse para traçar todo um quadro de sugestões sobre o valor da grande poesia na obra de educação em geral, talvez as palavras da ilustre poetisa chilena acerca das qualidades do narrador mostrassem completamente essa relação que a poesia profunda mantém com a vida.

O narrador deverá ser simples e até humilde, diz ela. Com uma palavra cheia de graça, porque a criança é mais sensível que Goethe e que Ronsard. Deverá reduzir tudo a imagens, quando descreve, *"procurará que su cara y su gesto le ayuden fraternalmente el relato belo porque el niño gusta de ver commovido y muy vivo el rostro del que cuenta"*.

"Si yo fuese directora de normal, una cátedra de folklore general y regional abriría en la escuela" – acrescenta ela, por fim.

Seria a contribuição da poesia. Ela, que é tão altamente poetisa, vê a necessidade desse embelezamento da escola, para reabilitação da vida que o trato diário perturba e corrompe.

Certo, a vida da criança poderá estar ainda quase intacta. Mas é sobre esse fundo de poesia forte, serena, autêntica que se edificam as vidas capazes de resistir a todos os transtornos que, mais tarde, sem dúvida alguma chegarão.

Rio de Janeiro, *Diário de Notícias*, 30 de julho de 1932

Gandhi e a educação

As ideias de Gandhi sobre educação, em geral, poderiam ser compreendidas com clareza lendo-se o que tem escrito sobre a educação hindu, em especial – e se toda a sua obra gigantesca, a sua "experiência da verdade", não fosse uma tentativa de transformação do mundo pela educação do homem, uma hipótese social baseada no advento da lei do amor.

Num dos seus artigos da *Young India*, diz ele que a educação inglesa corrompeu a Índia porque fez do seu povo um simples imitador de uma civilização diferente, exprimindo-se numa língua estranha que, evidentemente, lhe vem desfigurar o próprio pensamento.

Desde logo apresenta uma verificação que, em cinquenta anos de educação inglesa, a Índia está mais pobre do que era, e os hindus são menos vigorosos e menos capazes de se defenderem. Porque, diz ele, a educação que o governo lhes oferece tende a oprimi-los em corpo e espírito.

Noutro artigo e considerando a educação em separado do próprio "governo injusto" a que pertence, enumera assim os seus defeitos:

1º – Basear-se numa cultura estrangeira, com exclusão quase total da cultura indígena;

2º – Ignorar a cultura do espírito e a manual, consagrando-se exclusivamente à do cérebro;

3º – Ser impossível ministrar uma educação verdadeira mediante uma língua estrangeira.

Examinando depois detalhadamente esses defeitos, refere-se Gandhi aos manuais de ensino que, desde o princípio, tratam "não de coisas com que as crianças lidem todos os dias, mas de outras que lhes são totalmente desconhecidas".

Nunca ensinam à criança, diz ele, a gostar da sua casa.

> Quanto mais sua educação avança mais a afastam dela; de tal modo que, ao terminar seus estudos, está completamente estranha ao seu meio. Não encontra nenhuma poesia na vida de família. As cenas de aldeia são-lhe desconhecidas. Sua própria civilização lhe foi representada como estúpida, bárbara, supersticiosa e inútil do ponto de vista prático.

E, querendo corrigir esses excessos, acrescenta: "Se eu fosse professor, destruiria certamente todos esses manuais, e faria escrever outros que tratassem da vida de família, de modo que a criança, estudando, pudesse influir sobre o seu meio".

Além disso, diz ele, "é criminoso, na Índia, onde 80% da população é agrícola, dar às crianças uma educação puramente literária e tornar os rapazes e as meninas incapazes para os trabalhos manuais para o resto da vida".

A sua ideia da reabilitação do trabalho, pela obra da educação surge mais adiante, quando afirma: "nossos filhos deveriam receber uma educação que não os fizesse desprezar o trabalho manual".

Em vista de milhares de pais não poderem pagar a educação de seus filhos, propõe o Mahatma que a educação seja gratuita.

Quanto ao que chama a educação do espírito, e que corresponde, talvez, à formação do caráter, considera com dureza que ela não pode ser ministrada por pessoas que exercem o magistério simplesmente porque não podem achar outra ocupação.

Sobre essas suas palavras se poderia abrir todo um capítulo relativo à formação do professor.

No que diz respeito à língua, a objeção principal que lhe faz Gandhi é a de cortar a comunicabilidade dos educandos com seus parentes e seu meio, de modo que a sua atuação sobre eles fica prejudicada.

Como se sabe, o trabalho manual que Gandhi recomendou a todos foi o de fiar e tecer. As vantagens daí resultantes, para um povo que boicotava, no momento, o tecido estrangeiro, são evidentes.

Com esse programa Gandhi criava um tipo sintético de educação nacional, em que a criança já se ia bastando a si mesma, e, afinal viria a transformar a comunidade futura, e aquela de que provinha, fazendo refletir em redor de si os benefícios por esse processo adquiridos.

De maneira nenhuma Gandhi pensou na alfabetização em massa que, em alguns países que se julgam mais civilizados que a Índia, constitui ainda uma superstição curiosa.

Ele não quis mesmo esses letrados que a Inglaterra vem formando. Porque isso não interessa à civilização de um povo. Civilizar é tornar apto para a criação de um destino. Oferecer forças, capacidades, orientação para a liberdade. Liberdade em todos os sentidos: ao lado do livro que instrui, a roça e o tear, que executam. Trabalho e pensamento.

Um belo sonho que o século XX ainda não quis sonhar completamente.

Rio de Janeiro, *Diário de Notícias*, 24 de agosto de 1932

As escolas italianas

O caso das escolas italianas de São Paulo é, certamente, um caso grave, e necessita ser estudado e resolvido com atenção. Crianças nascidas no Brasil e às quais se administra um ensino estranho ao seu ambiente, ficam, só por isso – e excluindo todas as outras numerosas razões – prejudicadas no seu desenvolvimento normal, porque estão sendo preparadas artificialmente para um futuro impossível, quando as realidades circunstantes, forçando-as a uma atitude decisiva, lhes revelarem a impropriedade do destino que lhes estiveram estimulando.

Do ponto de vista pedagógico, seria esse o inconveniente, e importantíssimo, pois ninguém pode pretender orientar crianças para a vida começando por lhes dar elementos praticamente falsos para essa vida se poder afirmar.

No entanto, não é por aí, principalmente, que se costuma apaixonar a opinião geral, porque as razões puramente educacionais ainda pesam pouco no empirismo do maior número.

À opinião pública interessa o crime que se pratica contra a ideia de pátria, contra o nome do Brasil, que, no caso dessas escolas, passa a figurar quase como uma colônia italiana, por onde se deve alastrar o esplendor do *fascio* e a veneração pelo *Duce*.

À opinião pública interessa a humilhação em se colocar o Brasil com as fábulas de livros e de professores certamente apaixonados pela Itália Maior, e tão perdidos nessa paixão que talvez não sintam o próprio erro em que estão sendo levados, – tanto o patriotismo, de certa medida em diante, deixa de ser uma virtude para se converter numa possibilidade fecunda de desvarios e de incompreensões.

Esses professores italianos que a opinião pública do Brasil tem o direito de julgar com severidade, talvez do ponto de vista da expansão da sua nacionalidade mereçam outro julgamento mais favorável: tudo questão de interpretação, de interesse, de finalidade...

Mas, como o patriotismo é um vinho que embriaga rápida e perigosamente, a opinião pública do Brasil pode, também, entontecer, e, em lugar de estudar conscienciosamente o caso das escolas italianas, pôr-se a bradar contra o macarrão e o Chianti, que não têm nada com o caso, e que só podem aumentar a confusão e excitar a agressividade dos ânimos.

Para que passar da discussão ao insulto? Para que – e é um hábito tão frequente – sair do terreno da análise de um acontecimento para a divagação arbitrária e o ataque injusto? Para que, de um caso que se pode resolver inflexivelmente, é certo, mas com serenidade, fazer surgir esse veneno da xenofobia que é uma corrupção para o espírito, e com o qual não se deve toldar a generosa claridade do coração brasileiro?

Se, aliás, tivéssemos sido vigilantes, o erro que hoje censuramos não chegaria talvez a se ter produzido.

Agora, que o queremos corrigir, devemos ter o cuidado de não deixar outro em seu lugar; e seria triste que justamente uma questão escolar desse margem a outra em que se comprometesse ainda que de leve o sentimento de fraternidade que a escola se esforça por veicular, e que, na sua expressão profunda, é a própria diretriz e a própria finalidade da educação.

Rio de Janeiro, *Diário de Notícias*, 24 de abril de 1932

Veinemoinen

Dos heróis do *Kalevala*[1] o que sempre me comoveu mais foi Veinemoinen. "O velho e imperturbável Veinemoinen", – como a epopeia repete, a cada passo.

Ele não era o robusto forjador do firmamento, com todas as suas estrelas, como esse tranquilo Ilmarinen, certo do poder de suas mãos: nem tinha aquele dom de bailar sobre o pensamento da vida que faz de Lemminkainen a origem dessa estirpe de sedutores, voluptuosos e fugitivos, capazes de destruir ou de criar um mundo com a rápida substância de um sorriso.

Entre o sereno artesão, confiante e forte, e o jovem sonhador, imaginoso e volúvel, Veinemoinen é o artista grave, que vem conduzindo, de raízes trágicas, a inédita forma e a misteriosa cor das quais, um dia, será feita a sua dolorosa e altíssima criação.

Dispersar o amor pela terra não é coisa assim tão difícil; não é muito difícil, mesmo, fazer um céu com estrelas: são coisas que os homens podem receber passivamente, sem esforço de alcançar, e sem compromisso de repercussão.

Veinemoinen foi um criador de outra espécie.

Dos ossos de um animal marinho, ele fez o *kantele*, – o instrumento de música de onde podia renascer, em todos os tempos, a voz das águas, o movimento das ondas, toda essa harmonia de sons, de ritmos, de distância e de mistério que é a própria expressão inquietante e deslumbradora do mar.

Mas um *kantele* não é coisa para ser recebida somente no doce pasmo dos olhos, como um firmamento, – nem para invadir facilmente o coração dos homens, como o encanto fácil do amor.

O kantele é um instrumento de criação. Dele pode acordar a vida, a cada instante, embora ele não seja a vida! Basta que o toque um poder ativo, capaz de se equilibrar com o seu secreto poder.

---

1 Epopeia nacional da Finlândia.

O *kantele* exige a participação de um esforço alheio para chegar à eficiência do seu próprio destino.

Veinemoinen criou-o para que os homens se distraíssem durante a oportunidade de viver. Porque é bom exceder a vida concreta, deixando o espírito ampliar suas ondas por esses níveis abstratos, por onde se pode caminhar invisivelmente, tocando o sentido estranho de inúmeras coisas sem aflorar sequer o contorno ou a sombra da sua aparência.

Aconteceu-lhe, porém, essa tristíssima desgraça que conhecem os criadores: ninguém conseguiu tirar do seu *kantele* prodigioso aquela música inventada para o unânime regozijo dos habitantes da Terra.

O *Kalevala* é tão sábio que atribui a um cego o conselho de restituir a Veinemoinen o mágico instrumento: até os cegos podem ver que a criação é quase sempre incomunicável.

Assim, "o velho e imperturbável Veinemoinen" teve de ser o músico do *kantele*. O único. Sentado num rochedo, arrancou-lhe às cinco cordas todos os múltiplos e nebulosos mundos que ficam para além dos nossos cinco sentidos...

E o Kalevala conta que os pássaros dos ares, os habitantes das águas e todas as criaturas da Terra acorreram a ouvi-lo e ficaram chorando diante do poder das suas mãos.

Veinemoinen podia ficar feliz, diante dessas irresistíveis lágrimas: porque chorar é a forma suprema de aplaudir.

Mas ele era Veinemoinen: o que tinha sonhado a ventura dos homens pela revelação de um dom que eles pudessem conquistar... Por isso, chorou também, – e um choro maior e mais triste, e as suas lágrimas caíram por entre as ondas, nesse mesmo mar de onde tinha vindo o *kantele*, como a recordação musical das origens da vida.

Na verdade, o *Kalevala* diz que foi dessas lágrimas que nasceram as pérolas. E isso talvez signifique, apenas, que elas vinham tão cheias de sal, tão consistentes, tão vivas que podiam ser modeladas pelas claras mãos das espumas.

Eu dedico este "Comentário" aos que estão sofrendo pela renovação educacional do Brasil.

Rio de Janeiro, *Diário de Notícias*, 7 de julho de 1932

As cantigas de embalar de Gabriela Mistral

As cantigas de embalar são um dos motivos mais belos da ternura humana. (Ainda quando estejam ameaçando de um mal qualquer o pobrezinho que não dorme, como o do bicho-papão...) Elas palpitam com um ritmo de amor, profundo e verdadeiro como o da criação, em que as palavras não valem quase nada, por si mesmas: vale a oportunidade que as sustenta, essa oportunidade sempre tão atual que as perpetua através do tempo, levando-as de viagem pelo mundo e pousando-as no coração eterno de todas as mães.

Mas, além das cantigas de embalar já pertencentes à tradição, há também as que os poetas, num dia de maternal carinho, compõem para as crianças do mundo inteiro, como se as murmurassem à beira do berço de um filho: com a mesma poderosa emoção, com o mesmo encantamento, com o mesmo fervor sem fim.

Há desses poetas para quem a vida é como obra sua, que ficam diante de toda a humanidade como se a tivessem arrancado do seu sonho, numa gênese misteriosa, e pairassem sobre o seu destino com a devoção vigilante que têm os pais pelos filhos.

É assim Gabriela Mistral, a grande poetisa chilena cuja obra, de uma vasta inspiração, carrega em si toda a inquietação dos sentimentos e pensamentos universais.

Para se sentir quanto é possível fazer de uma canção de embalar uma voz da terra fecunda, brincando deslumbrada com a revelação da sua própria riqueza, escute-se uma das suas canções:

Duérmete, mi niño,
duérmete sonriendo,
que es la ronda de astros
quien te va meciendo.

Gozaste la luz
y fuiste feliz.

Todo el bien tuviste
al tenerme a mí.

Duérmete, mi niño,
duérmete sonriendo,
que es la Tierra amante
quien te va meciendo.

Miraste la ardiente
rosa carmesi.
Estrechaste el mundo:
me estrechaste a mí.

Duérmete, mi niño,
duérmete sonriendo,
que es Dios en la sombra
quien te va meciendo.

Mas não é só essa alegria de um bem que se contempla: é também o gosto humilde de ter merecido esse dom; o gosto quase tímido, que balbucia:

Velloncito de mi carne
que en mi entraña yo teji,
velloncito friolento,
– duérmete apegado a mí!

La perdiz duerme en el trebo
escuchandole latir:

No te turbes por mi allento,
duérmete apegado a mí!

Hierbecita temblorosa
asombrada de vivir,
no te sueltes de mi pecho,
duérmete apegado a mí!

Yo que todo lo he perdido
ahora tiemblo hasta el dormir.

No resbales de mi brazo:
duérmete apegado a mí!

Este medroso deslumbramento é, afinal, o raio de glória da maternidade, e há um timbre do ouro de que se fazem as auréolas nesta voz de volúpia espiritual:

Esta era una rosa
Llena de rocío:
este era mi pecho
con el hijo mío.

Juntas suas hojitas
para sostenerlo:
esquiva la brisa
por no desprenderlo.

Descendió una noche
desde el cielo inmenso:
y del amor tiene
su aliento suspenso.

De dicha se queda
callada, callada:
no hay rosa entre rosas
más maravillada.

Esta era una rosa
llena de rocío:
este era mi pecho
con el hijo mío.

Não são estas as únicas canções de embalar de Gabriela Mistral. Mas dão uma ideia da sua produção nesse gênero, onde, como nos demais, esplende o seu espírito altamente lírico, que sobe muito alto, e se doura de misticismo, sem no entanto perder nunca o seu contato com a terra, e a sua lembrança dolorosa do chão sofredor, lavrado e pisado, por onde se desenrola a marcha infinita da humanidade.

Da humanidade que tudo esquece da aflição, para entoar sua esperança, cada vez que aparece de novo uma criatura pequenina.

Rio de Janeiro, *Diário de Notícias*, 3 de setembro de 1932

O homem mais forte

Quando Ibsen escreveu que o homem mais forte era o homem mais só, ele sabia bem o que estava dizendo.

Acreditar na multidão é excelente. Mas, no dia em que a multidão falha, se o homem não acredita em si, toda a sua vida falha também.

Viver com a multidão é excelente. Mas quando se pode viver também sem ela, quando a sua perda é capaz de não deixar desespero: quando se participa do seu convívio, sem, no entanto, se ficar nessa dependência miserável que oprime e escraviza, e torna infelizes as criaturas quando não encontram um apoio em redor de si.

Servir à multidão é excelente. Mas sem ser pela recompensa que venha. Única maneira de resistir, se ela não vier.

O homem mais forte é o homem capaz de saber ficar mais só. É o homem que vence os infortúnios, excedendo em virtude o que eles trouxerem em dimensões.

Por muito que a vida em conjunto seja uma expressão admirável, e que a solidariedade tenha poderes assombrosos de triunfar, esses são aspectos cujo valor se reflete mais propriamente na coletividade. E, dentro dela, todos nós sabemos que o indivíduo continua sendo um homem sozinho, nos instantes mais significativos da sua íntima definição.

O homem nasce sozinho, o homem morre sozinho. E entre esses dois extremos, desfilam os seus inúmeros instantes de solidão, ainda nas melhores, mais vivas, mais agitadas sociedades. Sua força de suportar os acidentes exteriores e interiores pode residir nessa coordenação de interesses que a existência em comum estabelece e estimula. Mas se for só essa toda a sua força, ai dele! porque os interesses humanos são volúveis, e ninguém que se mantenha pelo conteúdo de um dia pode assegurar que no dia seguinte encontre base para continuar a se manter.

A fé em si mesmo é, afinal, um ensinamento que decorre de todas as leis consideradas divinas. Elas se condensaram em fórmulas desejosas de voltar o homem para a sua própria energia, e de lhes oferecerem uma oportunidade de a aumentar sempre, no crescimento contínuo de um poder mais abundante de solidão.

O culto do individualismo só tem o mal de fazer o homem perder de vista o mundo que habita, e de o desinteressar pelo resto da humanidade com que, afinal, tem de conviver.

O homem mais forte pode perder-se, também, na sua força. Porque a solidão deve ser como um reservatório a que se vão buscar as compensações necessárias, na hora adequada, não um abismo a que o homem se atire para ficar invulnerável ao destino que passa.

Infelizmente, desse erro de compreensão, e desse excesso de individualismo provêm muitos males que teremos de resgatar.

Criaturas sozinhas, que somos, e, ao mesmo tempo, elementos de multidão, temos de ser o que exigem esses dois meios, e, guardando o equilíbrio justo entre essas solicitações quase antagônicas, conservar aquele dom da unidade que é o segredo com que o homem consegue não esquecer o seu próprio sentido, entre os acontecimentos mais contraditórios.

Poderá a educação fazer isso?

Só ela o poderá fazer.

Por isso, parece que estão errados todos os que pretendem transformar o homem, apenas no servidor de uma facção, qualquer que seja. Ele é ilimitado, tanto individualmente como coletivamente. Concentra-se e dispersa-se, é verdade, mas fora de qualquer contorno estável, que permita estandardizações.

Ele é sempre infinito, quando está [em] vida sem a desvirtuar.

E desvirtuá-la é a sua morte, – a única morte de que se pode, na verdade, para sempre morrer.

Rio de Janeiro, *Diário de Notícias*, 13 de novembro de 1932

Idealismo

O homem é, na verdade, um animal idealista.

Prepara-se agora uma tentativa de comunicação entre o nosso planeta e Marte. Do alto de uma montanha suíça vai ser projetado o mais poderoso jato de luz elétrica já conseguido, a fim de ver se os habitantes de Marte nos compreendem e nos respondem.

A experiência é interessantíssima. No entanto, seja-nos permitido o ceticismo de perguntar que espécie de camaradagem pretendemos oferecer a esses colegas do outro mundo, se acaso chegarmos a qualquer forma de comunicação...

Aqui pela terra as coisas sempre andaram tão difíceis, os países custam de tal modo a se entender, os próprios conterrâneos têm uma tal dificuldade de compreensão, a solidariedade é ainda uma virtude tão precária... E o mais poderoso jato de luz já conseguido vai levar a Marte (se é que eles não sabem disso...) a notícia da nossa presença e da nossa cordialidade...

Oh! que animal idealista é o homem...

Para além de todos os limites rudemente impostos à sua condição, a tentativa dos sonhos é a expressão contínua daquele infinito poder que dentro dele se oculta como o seu mais fiel retrato.

Fracassamos a cada instante nas mais simples e modestas iniciativas. Nosso progresso tem sido feito dolorosamente, à custa de um sem-número de derrotas, renovadas por esperanças enérgicas, até os dias de fugitiva e insatisfeita glória.

Mas estamos sempre sonhando um bem mais alto. Mas estamos sempre colocando o coração num plano mais impossível. Mas estamos sempre transpondo a fatalidade das aventuras perdidas, construindo o projeto daquela aventura definitiva que não realizaremos, talvez, mas que nos sustenta a vida, com uma constante ansiedade.

A sombra triste da realidade não consegue mutilar a luz idealista de que vivemos. Podíamos parar. E às vezes se para. Mas, então, é a morte, mesmo em vida.

O destino do homem é este: ir andando. Contraditório, às vezes. Desditoso, muitas outras. E por quê? Porque ao seu caminho se opõem muralhas que se podem vencer, mas que gastam as forças que poderiam ir elevando os sonhos necessários.

Ainda que os países não se entendam, e os homens entre si estejam também ainda pobres de amor e compreensão, os habitantes deste planeta, de amarga sorte, querem conhecer o segredo de outro planeta, em que talvez floresça aquela felicidade que nos falta.

Não é uma simples curiosidade. Aliás, a própria curiosidade não será uma forma preliminar de fraternidade? É o sentimento indefinido dessa participação universal, apelo profundo da existência humana.

E, enfim, quem sabe se os marcianos não terão alguma grande lição a nos dar, se não terão chegado a qualquer experiência que nos esteja vedada, se não poderão trazer o elemento que por acaso falta à harmonia do nosso destino, deste pobre destino tão preso à terra que o suporta, e de tal modo sentindo a angústia de uma libertação que não sabe qual é?

Rio de Janeiro, *Diário de Notícias*, 18 de novembro de 1932

Justeza

Talvez o nosso mal seja não termos chegado ainda à serenidade com que se pode dominar o destino. Andamos em tentativas, e vamos de um polo a outro sem atingirmos o justo ponto em que se concentra o poder que procuramos sem alcançar.

A arte da vida é extremamente musical. Quem já se aproximou de um instrumento sonoro e, ferindo-o inadequadamente, suspirou por aquela sabedoria com que se acerta no encontro dos sons necessários, e sentiu como é preciso conhecer onde eles estão situados, e ter a presteza de passar de um a outro, para poder formular uma expressão ambicionada, terá compreendido também a lei da vida com as suas imposições de ordem, ritmo, golpe de vista e agilidade para a conquista de um significado sem o qual a existência é uma incurável nostalgia.

A justeza é, principalmente, um dom precioso nesta arte difícil de se estar no mundo sem se ser demais. Dom bastante raro em tempos de interesses ardentes, quando a eclosão de uma era diferente força todos os impulsos de sobrevivência e os de nascimento, exaltando todas as inquietudes e precipitando-as com angústia para uma esperança que tanto pode vir a ser uma glória como uma decepção.

A veemência tem seu valor, e a própria loucura pode chegar a aparecer como uma virtude admirável: em ambos os casos, é ainda a justeza que está fazendo sentir a sua oportunidade.

Justeza de pensamento e de ação. Justeza de sentimento. Harmonia sem quebra, diante de todas as tragédias, sobre todas as velocidades, através de todos os tempos.

Justeza: esse gosto e essa capacidade de equilíbrio. Uma serenidade que permanece inviolável, quando em redor de si todas as coisas se perturbam. Mansidão que, sem insensibilidade, sem indiferença, sem crueldade e sem dureza, paira sobre os acontecimentos atrozes, compreendendo-os, antes de dispor das suas decisões.

A vida é feita geralmente de contrastes: de um pessimismo tétrico ou de um otimismo cândido. Muita gente se balança nessa onda amarga que leva da mais profunda descrença à mais imprudente e exaltada fé. Muita gente se eleva subitamente às mais alucinantes alturas para depois se deixar cair nas profundidades mais tristes e mais sem redenção.

Poucos alcançam a qualidade da exatidão, da quantidade poética indispensável ao equilíbrio entre os extremos fatais.

Ora, desde que o mundo é mundo, os grandes espíritos que triunfaram na arte de viver não fizeram senão estudar e desvendar esse segredo. E o que fizeram foi obra de educação.

É certo que os tempos mudam. Mas não mudam alguns interesses eternos que identificarão sempre o homem, por toda parte, em qualquer século.

Se tivéssemos o cuidado de juntar sempre às aquisições transitórias as interpretações permanentes, é possível que progredíssemos com outro valor. Falta-nos a justeza, constantemente. E daí nos vêm muitos males.

Embora a verdade não seja coisa fácil de abordar, poderíamos estar menos distantes dela...

A educação é um problema vastíssimo...

Rio de Janeiro, *Diário de Notícias*, 25 de novembro de 1932

Compreensão

Outra coisa de que geralmente sofremos: deficiência de compreensão. Entre os indivíduos, estabeleceu-se um convívio apressado e precário. É verdade que, às vezes, há o interesse especial de uma comunicação imperfeita. O mundo vem-se fazendo como é possível, e os resultados dessa dolorosa formação já representam um grande poder de luta, e um profundo heroísmo, obscuro e amargo. Mas, mesmo quando a comunicabilidade é necessária e oportuna, uma porção de obstáculos a vêm tornar imperfeita. Por mil motivos diversos, estamos sempre sob a fatalidade de não nos exprimirmos bem. Aparte, na verdade, esta comezinha expressão diária, sobre os acontecimentos vulgares, quem já conseguiu expor em palavras, sem a mais leve hesitação, todo o conteúdo dos instantes mais graves da sua vida interior? Começamos, aliás, por desconhecer, ou conhecer mal, essa vida. Somos tão fugitivos, tão feitos de reflexos, de cambiantes, de mutações! A palavra cai sobre o pensamento e comprime-o. Ele se distende para todos os lados. E nesse contorno livre é que ficava o sentido mais puro, e a verdade mais perfeita desse contorno é que se desprendia também.

Depois, é fácil a gente enganar-se consigo mesma, querer uma coisa e dizer outra. E as circunstâncias, carregadas de sugestões, completam a obra de desvirtuamento daquela realidade primitiva, cujo aparecimento, depois, nos assombra, na revelação que recebemos do exterior.

Quem não sofreu nunca essa tristeza decepcionada de encontrar na receptividade alheia o retrato deformado de uma intenção que se julgou exprimir sem ambiguidade?

Nós somos todos interpretados... As mesmas palavras de um idioma não têm o mesmo sentido para todos que o falam.

Nossa comunicabilidade é aproximada, problemática, duvidosa. A vida afetiva está repleta dessa angústia de compreensão. Não dizemos o que queremos, não entendem o que dizemos, e não respondem ao que entenderam. Nem ouvimos, tampouco, essa resposta, assim como é...

No nível das ideias não se tem feito, em toda a vida, senão tentativas de compreensão integral. Talvez todo o pensamento humano tenha muito mais unidade do que se supõe.

A expressão, a interpretação, e as suas consequências enriqueceram--no em sua inquietude direta. E, então, à evolução linear de uma definição constante, agregaram-se, talvez, as interpolações da crítica, da tradução, da controvérsia. Sempre a ansiedade da compreensão. E os seus obstáculos.

Por isso é que é difícil a tranquilidade na Terra. Se cada um de nós pudesse saber dizer exatamente o que se faz necessário em cada momento que fala, e tivesse certeza de o transmitir sem deturpações ao interlocutor, cuja resposta igualmente exata seria apreendida sem a mais leve confusão... – ah! se fosse assim, este mundo era um paraíso, sem rusgas domésticas, sem conflitos nas ruas, sem Sociedade das Nações, sem Conferência do Desarmamento...

Parece, porém, que não chegaremos a isso senão com a invenção daquele aparelho de rádio que faça visíveis as nossas intenções, esmagadoramente, nitidamente, definitivamente.

Por enquanto, estamos sempre, em relação àqueles com quem falamos, como dois namorados lisboetas do livro de certo escritor: ele embaixo, ela à janela do último andar, com as perguntas e respostas completamente desencontradas, e o sonho suspenso entre o céu e a terra. Pobrezinhos... Ou, então, como na anedota dos surdos que vão passando:

– Vai pescar?

– Não... Vou pescar...

– Ah! pensei que fosse pescar...

No entanto, sempre podíamos fazer uma tentativa. Podíamos tentar pensar com clareza, falar com limpidez e receber as palavras alheias sabendo que podem ter muitos significados, com a paciência de procurarmos aquele que mais rigorosamente as inspirou.

Não é fácil compreender. Mas é belo fazer um esforço nesse sentido.

Onde estão as criaturas dispostas a sofrer pela beleza difícil? Elas é que terão de realizar em si, e com o seu exemplo, esta grande obra de muito martírio e de pouca esperança.

Rio de Janeiro, *Diário de Notícias*, 26 de novembro de 1932

segundo núcleo temático

FAMÍLIA, ESCOLA, INFÂNCIA E EDUCAÇÃO

Escola e família: como fazer a sua íntima aproximação

No que se tem feito até aqui em matéria de escola nova, entre nós, domina sobretudo uma grande preocupação de transformação metodológica, que, pelo contraste com a monotonia da velha escola, não somente surpreende como, até certo ponto, escandaliza a opinião dos pais de alunos e até dos próprios alunos.

Certamente, para os que se estão dedicando, com intensidade, a essas experimentações, é profundamente desanimador encontrar nas famílias dos alunos um ambiente muitas vezes hostil: mas o que ainda é pior é sentir na própria criança certa repulsão pelo interesse que a professora lhe devota, certa ironia na aceitação de tudo quanto não estiver de acordo com os velhos moldes que ela conhecia, que absorveu, às vezes, nos seus primeiros anos de escola, e que ela mesma relembra a cada passo como para diminuir o trabalho em que se empenham as professoras atualmente.

Que fazer, numa situação dessas? Como "pré-educar", por assim dizer, a criança, a fim de a tornar apta a receber o que a escola, neste momento, com tanta boa vontade, com tão enorme carinho, lhe tenta oferecer, por entre dificuldades que muitas vezes são, na verdade, silenciosos sacrifícios?

As reuniões de Círculos de Pais seriam uma solução, se não se desse quase sempre aquele fato muito conhecido: os pais ricos não vão facilmente à escola, porque lhes parece um rebaixamento de condição, e os pobres não vão também... por um sentimento perfeitamente oposto.

Suponhamos, porém, que se conseguisse uma frequência elevada e assídua a essas reuniões. Não haveria que fazer discursos em linguagem que ultrapassasse a cultura mediana, não haveria propriamente que discutir as vantagens metodológicas da atualidade, principalmente, porque faltaria a essa assistência elementos de comparação com processos anteriores, para perceber as diferenças. Apresentar trabalhos realizados pelos alunos também nos parece solução precária, por ser o julgamento dos pais medida de valor muito incerto, e insinuar-se nessa prática um certo laivo de vaidade prejudicial e condenável.

Talvez fosse mais vantajoso, em vez de reuniões gerais, realizar pequenas reuniões presididas pelo professor da classe, e a que só comparecessem os interessados por essa classe, permitindo, assim, tratar cada assunto em particular com a familiaridade que a prática nos está mostrando necessária para o estabelecimento de uma simpatia permanente, e de uma confiança tranquila entre o lar e a escola.

Lucraria o professor, que trataria de perto cada questão particular; lucrariam os pais, porque, pouco a pouco, se iriam animando a perguntar o porquê de cada ponto que lhes parecesse mais obscuro. E estaria lucrando a criança, que, uma vez bem compreendidas pelos pais as transformações da escola nova, receberia a insubstituível influência da família, observando a atenção com que esta acolhia essas transformações, e sentiria realmente pela professora esse carinho, essa docilidade, esse amor que converte o ambiente da escola numa atmosfera mais alta, onde a vida assume o seu verdadeiro sentido, e cada criatura se aproxima da outra, sentindo e respeitando as suas íntimas finalidades.

Rio de Janeiro, *Diário de Notícias*, 14 de junho de 1930

[Triste cena]

A cena passa-se na escola, naqueles dias de março em que se efetua a matrícula das crianças. Uma senhora de boa aparência aproxima-se da mesa da professora e dá todas as informações exigidas para que o seu filho possa frequentar a escola. Depois dessa formalidade, ensaiando um sorriso expressivo, de quem deseja fazer boas relações com a professora, faz a seguinte observação:

– Minha senhora, o meu pequeno é muito malcriado. Muito vadio. Não gosta de estudar. Não imagina o tormento que passo para o fazer vir à escola. Fica pelo caminho. Perde os livros. Já há dois anos que está na mesma classe. Primeiro, pensamos que era da professora. Então, mudamo-lo de escola. Mas na outra foi a mesma coisa. A senhora sabe que nós, as mães, sempre temos mais paciência. Mas o pai, que não gosta de graças, prometeu dar cabo do pequeno, se este ano ele não for para outra classe. Ele é um garoto insubordinado. Todos se queixam dele. Por isso, eu lhe queria pedir um favor...

(Não é necessário dizer que, durante todo esse tempo, o pequeno esteve cabisbaixo, ouvindo todas essas amabilidades a seu respeito... Pouco a pouco as orelhas iam-lhe passando por todas as tonalidades do vermelho, desde o róseo até o púrpura. E, olhando-se bem, parecia que cresciam também...)

– Queria pedir-lhe um favor: puxe-me pelo pequeno. Puxe-me por ele. Não o deixe ir ao recreio. Não o deixe fazer ginástica. Ponha-o na sala com o livro na mão, até que ele fique sabendo as lições. Não tenha pena, minha senhora. Ele com bons modos não vai. Isso de lhe fazer festa, de o tratar bem, não adianta nada. Ele só anda com pancada. E olhe: eu sei que na escola não querem bater nas crianças, mas tem a senhora toda a liberdade para fazer com este o que entender...

(O pequeno vai baixando mais a cabeça. Agora a vermelhidão avança por todo o rosto. Que estará pensando esse pobre pequeno que nem na família encontra a compreensão suficiente para que a sua vida se desenvolva com alegria? A tristeza da solidão moral, que costuma ser o naufrágio da mocidade, já desceu sobre essa infância angustiada. Qual será o estado interior dessa pobre criatura, ouvindo decomporem a sua personalidade em fragmentos de maldade e injustiça?)

O resto da cena não se conta, para cada pessoa que se interessa pelo assunto ter oportunidade de construir um fim capaz de reabilitar os três personagens em questão.

Rio de Janeiro, *Diário de Notícias*, 9 de julho de 1930

As crianças pobres

As crianças que frequentam as nossas escolas pertencem, na maioria, a classes modestas, e chegam ao convívio da professora carregadas de defeitos que são a consequência desse ambiente.

E infelizmente acontece que a professora, por fadiga nervosa, ou falta de vocação, ou qualquer outro motivo, enfim, cedo se desgosta das crianças mais desfavorecidas, que são, na verdade, as que mais necessitam de sua indulgência, da sua bondade, do seu auxílio.

Aluno que se começa a atrasar, que não se interessa pelas aulas, que chega tarde e sai cedo constantemente, vai ficando à margem da classe que progride. E, em pouco tempo, é um lastro inútil, que espera o fim do ano para baixar a outra classe.

Confrange, pensar nisso. Porque essas pobres crianças indefesas têm razões fortes e irremediáveis para justificarem a sua inferioridade, muitas vezes censuradas com aspereza e desprezadas com injustiça.

Quem já observou de perto a vida da gente pobre pode sentir que amargura infinita se acumula em muitas infâncias.

Crianças que carregam ao colo os irmãozinhos, o dia inteiro, que deles cuidam, enquanto a mãe anda noutros afazeres. Crianças que vão à feira, que entregam roupa lavada, que carregam marmitas, que, de mil e uma formas sacrificam o princípio da sua existência, sem saber que a sacrificam, – embora nessa inconsciência fique um travo de melancolia, qualquer coisa de saudade de uma vida que não tiveram, e que as acompanhará para sempre, como um veneno no sangue...

São essas as crianças que faltam nos sábados à escola, porque a mãe é lavadeira; que chegam tarde, porque o freguês almoça na mesma hora da aula; que levaram três dias seguidos faltando porque mandaram botar meia-sola nos sapatos, ou porque o uniforme não secou, devido ao mau tempo...

Criaturinhas de sorte sombria.

E porque a professora as vê de mãozinhas sujas, cabelos desgrenhados, roupa descosida, orelhas pouco limpas; sente, imediatamente, em contraste, uma espontânea atração pelas outras, as que usam laçarotes, e cordõezinhos de ouro no pescoço, – as meninas mimadas de infinitos caprichos, que a mamãe acompanha à escola com uma superioridade indescritível.

Ora, nós queríamos que, reprimindo essa espontânea atenção, a professora continuasse na sua afetividade um carinho voluntário por esses alunos tristes.

Que pensasse com especial ternura nessas vidas humildes, que ainda não se sabem queixar, porque não chegaram a ver, sequer, a própria extensão da sua desventura.

Que se interessasse por essas pequenas almas sustentadas em corpos que a forma debilita e oprime.

Mas nós temos até organizações nesse sentido! – direis. Temos o Copo de Leite, a Caixa Escolar, o...

Sim. Eu sei que tendes tudo isso. Mas há alguma coisa mais eficiente que essas organizações. Que eleva mais a alma. E, por elevá-la, dá-lhe um alento profundo, revigora-a, incute-lhe uma esperança de claridade e de força que transfigura e redime. É o amor. O belo amor que, de tanto ser humano, se diviniza. Que, de tanto baixar a socorrer, sobe, para sempre, levando a sua altitude àquilo que foi o motivo da sua emoção.

Rio de Janeiro, *Diário de Notícias*, 12 de agosto de 1930

Professores e pais

A educação moderna, para ser uma realidade viva, depende do entendimento de professores e pais, de modo que a obra da escola e do lar se unifique numa comum intenção.

Tudo quanto se fizer pela aproximação desses dois fatores e pela harmonização de seus interesses será em benefício da infância e para proveito da nacionalidade.

No entanto, acontece frequentemente abrir-se um grande hiato entre a escola e o lar, porque os pais, por impossibilidade material, falta de interesse ou desconhecimento do sentido verdadeiro da educação, não realizam essa obra necessária de convívio espiritual que forma o ambiente adequado ao desenvolvimento feliz da infância.

Sobre a maneira de estabelecer essas relações de simpatia entre pais e professores todos conhecem as organizações que estes últimos vêm mantendo, malgrado certa frieza do meio, que ainda não corresponde a esforços tão generosos.

A Escola de Las Piedras, de Montevidéu, para facilitar essa indispensável aproximação, sustenta, pela colaboração dos docentes da própria escola, uma pequena revista, *Nuestros Hijos*, que é gratuitamente distribuída pelos pais dos alunos, e vendida apenas a professores e instituições escolares.

Nessa revista se dá conta do movimento da escola, das iniciativas das autoridades, do aspecto de certos problemas atuais, tudo isso visando esclarecer as famílias que têm filhos nas escolas, pondo ao seu alcance o que lhes é necessário saber para uma eficiente cooperação na tarefa, que os professores lhes facilitam, de educar seus filhos.

O diretor da Escola de Las Piedras, desejando dar a essa revista uma significação ainda mais profunda, do ponto de vista do moderno conceito pedagógico, interessa-se por fazê-la imprimir pelos próprios alunos, estimulando também a esperança da tiragem de um suplemento destinado às crianças, o que seria a completação de um conjunto de alto valor educacional.

Não sabemos como os moradores de Las Piedras acolhem essa pequena e sugestiva revista, que já conta com vários anos de existência.

Mas, com o idealismo que é a atmosfera única dos educadores, gostamos de imaginar que essa é uma realização fecunda, vinculando vitoriosamente a escola e o lar.

E até gostamos de crer que é uma realização capaz de servir de exemplo a outras, que a respeitam – pelo desejo, que nutrimos, da realidade de um convívio e de uma compreensão, sem os quais só precariamente se podem colher bons resultados no terreno da Nova Educação.

Rio de Janeiro, *Diário de Notícias*, 16 de setembro de 1930

Relações entre o lar e a escola

Encerrando o ano letivo, a 15 do mês passado, uma certeza levaram os professores, bem nítida, a respeito da moderna orientação educacional: a da necessidade de se aproximarem, cada vez mais, pais e professores, e de se dar uma diretriz harmônica ao ambiente infantil, no lar e na escola.

Quando não tivessem entrado em contato muito profundo com a ideologia contemporânea, quando não se tivessem transformado tão radicalmente quanto se faz mister, quando tivessem, apenas, cumprido com certos preceitos superficiais da pedagogia moderna, mais por imposição da lei do que por íntima convicção, – aquela porção do professorado que não se integrou no plano da Reforma de Ensino – e que todos sabem de que elementos é composta – até essa deixou a escola, compreendendo, no último dia de aulas, que a missão do professor passa a ser uma coisa muito diferente quando, em vez de se desenvolver, fragmentada, um certo número de horas por dia, na escola, se processa, ao contrário, constantemente, sob uma orientação comum, que põe de acordo os pontos de vista da família com os da escola, com um ritmo sincero, que é o ritmo da vida, e uma finalidade única – a finalidade humana.

Tenho a certeza de que este governo, ainda quando não esteja completamente constituído por indiscutíveis competências, é um governo de "responsáveis". E isso já significa muito. Como tal, pela honra dos ideais que se defendem nos tempos novos, fica assegurada a situação do ensino primário no Distrito Federal, porque não é admissível crer que exista algum Erostrato que se queira celebrizar, neste momento de esperanças superiores, com algum monstruoso e imperdoável desvario.

Assegurada a reforma do Ensino do Distrito Federal, que é a mais bela promessa feita ao nosso povo, para a sua formação, a sua liberdade e o seu bem-estar social, assegurada tal como está, enquanto não se cogita da aproximação de todos os estados numa obra comum de educação nacional, uma providência se torna desde logo urgente: incentivar o convívio dos pais e professores, favorecer a ambos a compreensão das suas responsabilidades, com o intuito de obter um ambiente tanto quanto possível homogêneo para desenvolvimento de um plano educacional que possa dar resultados positivos na construção de um Brasil melhor.

Sei que as professoras têm já trabalhado muito nesse sentido; sei, também, que não têm colhido os resultados necessários, e proporcionais aos seus esforços. No entanto, essa campanha da conquista do meio é uma preliminar séria e importantíssima na obra a realizar.

Mas até aqui, sobre a atmosfera entusiástica de inúmeras escolas, pairava um frio de ceticismo decorrente da decepção popular gerada pela displicência dos governos. Estava, na verdade, tão desmoralizada a ação dos administradores, que até reformas de ensino, evidentemente revolucionárias, foram arroladas, pela certeza de vistas dos desconfiados e dos maus, em movimentos de exibicionismo fátuo. Se o professorado culto compreendeu a intenção da Reforma do Distrito Federal – para só nos referirmos a esta – e teve a coragem de enfrentar muita ironia e muita má vontade porque sabia bem aonde se dirigia, na sua missão de idealismo, outro tanto não sucedeu aos pais, subitamente chamados a participar de uma nova ordem de coisas, e, na sua maioria, mal informados, com opinião fácil e infundada a respeito de tudo, desorientados pelos boateiros profissionais.

Mas os governos da desconfiança estão por terra. O Brasil realizou esse milagre quase incrível de afirmar de norte a sul que quer ser diferente, que quer ter um destino sustentado por uma vontade, por uma inteligência e por um ideal.

O presidente Getúlio Vargas, que veio da terra gaúcha precedido da fama de democracia que aqui tem continuado a manter, que é uma pessoa afeita a saber ser simples cidadão, e a pôr-se em contato com seus compatriotas, sabe que as crianças das nossas escolas, filhas desse povo que delirantemente o recebeu por duas vezes, na terra carioca, têm sua sorte dependendo da situação dos que as educam. Os que as educam, por sua vez, estão dependendo de uma aproximação mais completa e mais fraternal com as famílias que constituem esse povo.

O presidente Getúlio Vargas, daqui a dois meses, quando se reabrirem as aulas, poderá, se quiser, praticar um gesto de extraordinária importância para o destino do país: poderá, ele mesmo, ir a cada distrito escolar, levar à obra que os professores vêm realizando o seu apoio de homem que se interessa pela formação da pátria nova.

Ninguém teria mais autoridade para reunir os lares e as escolas, com uma palavra inteligente e adequada – a palavra que reuniu também os elementos da Revolução – do que aquele a quem foi entregue, com uma infinita confiança e um sonho imenso de melhores tempos, a sorte do país todo que, na verdade, já é muito menos de nós, os de hoje, que das crianças, que nos sucederão...

Rio de Janeiro, *Diário de Notícias*, 7 de janeiro de 1931

Uma pergunta difícil

Uma das dificuldades que comumente se opõem à boa realização das atuais tendências do ensino é a da falta de preparo dos pais, a sua incompreensão das transformações pedagógicas, e da justa visão educacional, o que atrapalha enormemente a ação do professor, acarretando graves prejuízos à boa marcha das coisas.

Isso é verdadeiro e importante, de fato. Porque uma família não esclarecida contrariará, sem querer, o trabalho da escola, pretendendo ajudar o professor, e imprimindo à criança uma orientação de outros tempos, em absoluto desacordo com a que a escola lhe deseja oferecer nos dias de hoje.

Houve, a princípio, uma outra dificuldade, tão grande ou maior do que essa. A que derivava das crianças retardadas – de retardamento orgânico, ou apenas escolar – e que, pela sua longa estada em várias escolas, na mesma classe, já estavam habituadas a certas práticas do tempo antigo, e constituíam uma séria ameaça para o professor moderno, pelas razões de ceticismo que frequentemente manifestavam diante dos próprios colegas.

Esse perigo terminará naturalmente, se acaso ainda perdura, pois o limite da idade impedirá o acesso à escola a elementos em tais condições.

Mas, ainda assim, não é só a dificuldade da visão familiar que permanece de pé. Não. Existem outras dificuldades, e essas mais graves que todas, dentro da escola, dentro da administração, dentro do ensino.

A tragédia maior do professor moderno não precisa ir buscar protagonistas fora da escola. Eles se encontram aí em abundância.

Há o corpo docente, por exemplo, geralmente composto de elementos heterogêneos, com pequenas visões individuais, e grandes convicções de infalibilidade. Elementos em que o espírito de camaradagem verdadeira (não essa história de contar episódios domésticos...) é uma assombrosa abstração. Elementos muitas vezes intolerantes dentro de meia dúzia de coisas que aprenderam, da Escola Nova, e tendendo vertiginosamente para uma rotina talvez ainda pior que a da Velha Escola. Elementos que perturbam todo o trabalho de um ou dois, – porque a mediocridade é sempre numerosa, de fácil crescimento e difícil extirpação, como as plantas daninhas. E que, justamente porque é em maior número, conta com essa solidariedade do mal, tão espontânea, e esse apoio que pesa com a fatalidade numérica e esmaga os valores qualitativos...

Agora: responsável por esse corpo docente, há os diretores de escolas, cuja função, pelo título, parece ser a de dirigir, mas que, em geral, consiste mais em perturbar. Consiste em perturbar, ainda que com boas intenções, talvez para estar de acordo com aquela maioria de que já tratamos, e quem sabe se por uma errônea convicção de que a verdade é sempre o conceito mais geral?

Ora, em educação, precisamente o que estamos observando é que a razão, o fervor e a verdade estão com o pequeno número. Claparède afirmou mesmo que o empenho de realizar a Escola Nova partiu de filósofos, sábios – pessoas alheias ao magistério – representantes da elite intelectual. Não me consta que as elites sejam o grande número, em parte alguma.

E acima das diretoras de escola pairam os inspetores escolares, que deviam ser o elemento conciliador, harmonizador, orientador. Mas outro dia me contaram (vejam como eu ando atrasada em certas coisas!) que os inspetores (espero ao menos que sejam apenas alguns) se chamam a si mesmos "fiscais de bonde"...

"Fiscais de bonde"!

Diga-se agora onde é que está a maior dificuldade para realizar a Escola Nova!

Rio de Janeiro, *Diário de Notícias*, 21 de março de 1931

Círculos de Pais e Professores I

Por muito boa vontade que tenham certos pais, não devem acreditar que entendem também de pedagogia, porque isso geralmente vem prejudicar de maneira grave e irremediável quer o trabalho do professor quer a própria situação do aluno.

Acontece, por exemplo, que a criança ainda não lê tão depressa quanto os pais desejariam (porque, na maioria dos casos, saber ler significa ler depressa). Os pais, então, num desejo muito inocente de adiantar os estudos, põem-se a cometer verdadeiras atrocidades, atrapalhando o que a criança já sabe com o que ainda não sabe, saltando dentro dos seus conhecimentos e das suas possibilidades de um lado para outro, inadvertidamente, e causando uma confusão terrível, com tudo isso, de modo a tornar mil vezes mais complicado um trabalho que, bem orientado, seria fácil, simples e agradável.

Falo na leitura como poderia falar de outro caso qualquer.

E não se diga que é ocioso tocar em tal assunto. Cada criatura que anda agora por essas ruas, – não se sabe por que mistério, – é nada mais nada menos que um pedagogo desconhecido. Incógnito. Não fossem as provas em contrário que em todos os momentos estão dando, acreditasse a gente no que eles dizem, – estaríamos em plena floração educacional, num momento histórico invejável para qualquer apogeu de civilização...

Mas, felizmente, sucede com eles o mesmo que com aquele cavalheiro que, à última hora, confessou saber também cantar de galo... Ah! a gente percebe com quem está tratando...

A criança, porém, que não sabe dessas coisas, que é uma pobre vítima das mãos vaidosas, ambiciosas, hipócritas e levianas de certos pais, sofre, estiola-se, definha sob exigências inoportunas e métodos confusos de toda essa pedagogia caricata que anda por aí cheia de vento.

Pôr as famílias em contato com a escola, – pelo menos as famílias bem-intencionadas, que desejam estar ao corrente do assunto, em benefício da criança, benefício que devem não apenas restringir aos seus filhos, mas procurar divulgar pelos filhos alheios – dar-lhes um convívio mais íntimo com as questões práticas do ensino, chamar-lhes a atenção para a razão de ser de determinadas coisas – eis alguns pontos de um programa que todos os Círculos de Pais e Professores deveriam esforçadamente defender.

Em São Paulo, onde o interesse pela educação é muito mais que o simples e cômodo gozo de um cargo burocrático, tomado de assalto, a obra desses Círculos está sendo agora tratada com atenção especial, – o que revela, mais uma vez, a compreensão com que esse estado vem tratando da obra máxima para qualquer governo.

Esperemos que, um dia, tarde ou cedo, não importa, – porque a esperança vive livre do tempo, – alguma coisa apareça aqui, traduzindo também uma inquietude tão séria por esse problema, que cada Círculo de Pais e Professores seja não uma tentativa, não uma série de discursos, não uma hora de declamação para excitar meia dúzia de vaidades, e contrariar outras tantas, – mas uma realização grave, séria, pensada e útil, como hoje apenas em alguns casos vem nitidamente sendo.

Rio de Janeiro, *Diário de Notícias*, 22 de agosto de 1931

Círculos de Pais e Professores II

Para que a educação se processe com eficiência é necessário, antes de tudo, um ambiente favorável.

A simples instrução tem-se valido do ambiente como de um fator importantíssimo, de valor quase único às vezes, e nessas renovações de salas, de museus e exposições, que apelam para a observação, a atenção, a memória e a imaginação da criança pelo simples meio de variações de disposição, já vemos a influência que se pode desprender, do ambiente físico em constante atuação silenciosa sobre a infância, como sobre os adultos.

A educação da saúde, preservando, em vez de curar, implica um saneamento de ambientes, que permite e garante a expansão normal da vida.

A educação estética está, por sua vez, em direta ligação com as coisas circunstantes, – e em tudo não seremos talvez senão repercussões de todas as outras coisas que em redor de nós estacionam ou se agitam, sensíveis também, por sua vez, aos efeitos da nossa voluntária e involuntária repercussão.

A educação moral, quase toda realizada pelos ritmos naturais de em redor, exige, para sua boa orientação, uma atmosfera propícia, em que as contradições se equilibrem numa visão sadia e generosa das coisas.

A educação em geral é feita desses aspectos particulares. O que desejam os educadores modernos não é desenvolver esta ou aquela feição individual: uma aptidão do corpo ou uma tendência do espírito. A educação moderna é um conjunto de desenvolvimentos harmoniosos, correspondentes a todas as faculdades e possibilidades que se possam encontrar na criatura humana.

Daí, a necessidade de um melhoramento de todos esses ambientes complexos que simultaneamente estão agindo sobre a múltipla sensibilidade dos educandos. E o que se deseja é, na verdade, uma transformação completa da vida, uma purificação, uma elevação, que a obra dos educadores de agora provoca sabendo que isso compreende a própria transformação social, uma ideologia e uma política novas de que a escola de hoje está sendo o pequeno padrão tentado com heroísmo, contra a indiferença de alguns pela radiosa confiança de outros tantos.

Ora, esse melhoramento não depende só da escola, porque a escola não é o único meio frequentado pela criança.

Os alunos que gozaram da mais atenciosa assistência no ambiente escolar estão expostos, fora dele, às mais contrárias, incompreensíveis, prejudiciais e inconscientes influências, pela desordem do lar, pelas infelicidades domésticas, – pela ausência de cultura, de higiene e de moralidade em certos níveis, que podem, aliás, não ser propriamente os da sua família, mas de que a família pode participar quando mais não seja pela simples vizinhança.

A tarefa do professor converte-se, desse modo, no suplício clássico do tonel das Danaides. Forma-se todos os dias na escola um projeto de criatura humana que todos os dias, fora da escola, se deforma. E o resultado dessa luta desigual fica suspenso na indecisão das forças que triunfarem, segundo as facilidades e as dificuldades, as resistências e aceitações, ao alcance de cada destino.

Em vez desse esbanjamento de energia, nessa atividade quase hostil que ainda é agora a obra de educação, muito melhor seria uma coordenação de esforços paralelos, contribuindo todos, passiva ou ativamente, para a finalidade suprema a que se aspira.

Só os Círculos de Pais e Professores podem realizar esse objetivo, desde que não se desorientem com qualquer outro interesse intermediário, que não percam de vista a importância da sua finalidade e a ela submetam todas as razões de sua organização.

A escola que pretende, aliás, elevar apenas a criança não considera bem o que há de limitado em tal pretensão. Ela pode elevar, ao mesmo tempo, – embora com outras proporções – todo o ambiente social que rodeia cada geração. Por que furtar-se a obra tão ampla? Por que abrir mão de uma possibilidade que a torna a maior potência para o progresso humano? Por que recusar-se a ser o que pode ser na responsabilidade da civilização?

Rio de Janeiro, *Diário de Notícias*, 6 de novembro de 1931

A infância e a sua atmosfera

Quem leu Chateaubriand não pode ter esquecido aquele retrato de sua avó, tão gravemente desenhado, e com uma nitidez que o torna palpitante, como se diante de nós se abrissem de novo os dias do passado e, dentro deles, *Mme.* De Bedé tecesse o ritmo invariável das suas ocupações.

Vêmo-la com a sua touca preta amarrada ao queixo, trabalhando com as suas agulhas de tricô, entre os seus filhos e netos, ao lado daquela sua irmã que não se casou com o conde e, por isso, fazia versos simbólicos, que acabavam em *"lure, lure, lure..."*

Vêmo-la na sua sala, jogando com as vizinhas, ou jantando cercada de outros parentes, conversando histórias antigas e ouvindo episódios da batalha de Fontenoy...

Vêmo-la, por fim, ao adormecer, ouvindo a leitura que lhe faziam até muito tarde, quando já todos em casa dormiam.

As cenas a que assistimos, assistiu-as o pequeno Chateaubriand, habitante desse velho mundo cheio de recordações, de saudades e da vaga melancolia que exala o tempo passado.

Ele nos diria como viu acabar-se todo esse mundo antigo, em que os espetáculos eram velhas imagens de um livro de memórias, e nos contaria, rápida e magoadamente, como se foram fechando as portas de cada quarto, cujo habitante nunca mais apareceu...

Não seria necessário que nos dissesse a impressão de transitoriedade que recebeu não só dessa primeira sociedade que frequentou, como das outras que viu aparecendo para logo desaparecerem, em redor de si.

Esse desconforto invencível que é a raiz sofredora da obra de Chateaubriand, a amarga raiz oculta de onde a sua imaginação tira caules de beleza, descontentes da terra e ansiosos por céus intermináveis, já está descoberto, de algum modo, na sua decepção da infância, contemplando os cenários graves, severos, misteriosos da morte.

A morte é um ato profundo, que é preciso aprender a assistir com a serenidade de uma iniciação.

Sem isso, oscila-se entre um horror aniquilante e uma fuga desesperada para a noção do esquecimento: duas maneiras dolorosas de evitar a contemplação de um acontecimento que nos atinge e de que não queremos participar.

Chateaubriand refugiou-se no infinito, onde a morte não existe. Seu ceticismo, sua ironia são recordações ainda de quem é humano e está vivendo. Mas esse não é o Chateaubriand verdadeiro. O verdadeiro está naqueles sonhos distantes que são a poesia do seu estilo, naqueles ambientes ressuscitados, apenas, naqueles personagens místicos que parecem flutuar em nuvens longínquas, transmitindo-nos não a sua voz, nem o seu pensamento, mas sombras de palavras e de desejos que as distâncias desencorporam e desfazem...

Meio profético, como naquele desgrenhado retrato de Girodet, ele parece comunicar-se mais com um mundo aéreo que com o terreno.

Talvez nunca mais se apagaram dos seus olhos as figuras que embarcaram para a morte, e de quem ele se fez a última lembrança, entre os homens indiferentes. Como o resgate de todo esse passado abolido, sua vida é uma espécie de continuação: fidelidade aos que não vinham mais; repetição da sua voz, para que não tivesse fim; persistência da sua forma para que não se perdesse no vazio do tempo anônimo.

A infância é uma realidade contínua dentro de nós. Talvez por ser ainda a transição do universo de onde vimos para esta revelação incompreensível em que nos agitamos. E pode ser que reviva, finalmente, na hora extrema em que regressarmos de novo àquele permanente universo que nos aguarda.

Como quer que seja, precisamos olhar para as crianças sem displicência e sem superficialidade.

Rio de Janeiro, *Diário de Notícias*, 30 de novembro de 1932

Teoria e prática

Depois de se lerem os modernos pedagogos, cuja palavra entusiástica faz ver o mundo infantil sob uma claridade deslumbradora, parece que todo o panorama da educação moderna fica definitivamente revelado, e que não há mais que aproximar professores e alunos para uma vida em conjunto, harmoniosa e fecunda.

Infelizmente, assim não é. As palavras eloquentes, inspiradas pela profunda fé que alenta os grandes educadores têm um prestígio radioso mas transitório. Terminada a leitura, fechado o livro, apaga-se o panorama extraordinário, desfazem-se os personagens, obscurece-se o encanto que milagrosamente fizera florir o idealismo do leitor.

A realidade parece contradizer a leitura; a prática leva a duvidar da teoria.

Isso é, porém, um erro de visão superficial. Aparentemente, a criança que se encontra na vida é diversa da que retratam os educadores. Vai de uma à outra a distância da realidade ao sonho. E aquela que nos encantou aureolada pela palavra de simpatia e pela homenagem dos que lhe dedicam o seu labor e a sua vida, aparece empobrecida, diminuída, no seu aspecto quotidiano, desinteressante, vulgar.

Onde as suas sugestões curiosas? A riqueza da sua vida interior? O encanto da personalidade nascente?

Onde? Lá onde os encontraram os que detidamente e carinhosamente se interessaram por ela.

Porque é preciso saber baixar à profundidade mais longínqua de cada alma para se encontrarem as imagens mais várias e mais originais da sua fisionomia.

A criança do mundo objetivo não representa a sua própria expressão íntima. Pudor de se revelar, impossibilidade, muitas vezes, de o fazer, devido à carência de elementos que a manifestem, – num caso e noutro, ausência de ambiente propício para que ela tenha oportunidade de se definir.

É preciso criar uma atmosfera especial, que facilite a expansão da alma infantil, para que, então, nosso olhar atinja o recesso profundo da sua personalidade.

E alcançaremos, nesse instante, a felicidade dos grandes inspirados que desvendam cada tênue motivo na teia complexa da infância.

Sentiremos que as palavras dos livros não eram falsas nem vãs. Que o entusiasmo dos mestres não era enganador nem provisório.

Que é um espetáculo maior que os espetáculos humanos o que se vislumbra nesses cenários subjetivos. Que existe neles alguma coisa mais perfeita que a vida que os homens corromperam. Que a criança tem consigo uma parte de divindade diante da qual parecemos envelhecidos com o vício dos nossos preconceitos e a fraqueza das nossas desesperanças.

Rio de Janeiro, *Diário de Notícias*, 12 de julho de 1930

Coisas que se devem combater

Uma das coisas mais interessantes, e mais úteis, quando bem aproveitadas, para instruir a criança acerca dos animais nossos irmãos, e para a educar, acostumando-a ao respeito por essas vidas ainda mal estudadas e, pela sua relação de inferioridade para com a criatura humana, mais merecedoras de um carinho largo e profundo, – é sem dúvida nenhuma um Jardim Zoológico.

Nesses países do mundo que se necessitam evocar para dar peso às nossas opiniões, tais parques constituem um lugar favorito para passeios infantis, e um motivo de agrado para a criança, que, realmente, se interessa muitíssimo mais, e portanto com mais eficiência, pelos animais vivos, com as suas atitudes, os seus movimentos, as suas características próprias, do que por esses detestáveis bichos dissecados nos museus, geralmente asquerosos, e que duas vezes deseducam: pelo aspecto falso que têm, privados da vida – sua condição essencial – e pelo desprazer estético que resulta da contemplação desses despojos inúteis, que deixam na nossa sensibilidade uma visão triste da materialidade dos seres, e dos seus resíduos.

Um Jardim Zoológico, limpo, bem povoado, com uma distribuição interessante da sua fauna, seria um auxiliar magnífico para o ensino, colaborando com os professores, e com os pais, que o visitassem, e concorrendo, desse modo, para enriquecer a curiosidade infantil, pondo-a em contato com essas vidas um pouco misteriosas.

Refletindo sobre isso, bem como sobre a maneira de aproveitar, nesse sentido, o Zoo que possuímos, ocorreu-nos, porém, uma observação, que aqui deixamos como nota marginal.

Entre as coisas que se consideram como atrativo especial do nosso parque, figura a alimentação das cobras nele existentes. Esse espetáculo é anunciado com particular interesse, e constitui um número de sensação.

Em que consiste essa sensação? No seguinte: em ver abandonar à voracidade dos répteis, sucessivas porções de indefesos e pacíficos animais, mansos coelhinhos e porquinhos-da-índia, que são entregues vivos diante dos visitantes, numa exploração francamente imoral, que faz pensar até nas degenerações do sadismo.

Se considerarmos que o Jardim Zoológico está constantemente franqueado às crianças – coisa muito louvável – e que elas aí acorrem gostosamente – o que muito louvável é, também, – não podemos, como educadores, como pessoas interessadas na formação da criança, sob todos os seus aspectos, deixar sem um protesto, que queremos enérgico, intenso, veemente, esse espetáculo pernicioso até para os adultos.

Não nos parece que as cobras sejam animais tão maravilhosos que justifiquem nem o sacrifício dos pobres animais que lhes entregam (e que poderiam estar nas nossas escolas servindo de material de observação às classes) nem tampouco sacrifício, ainda muito maior, da educação do sentimento humano.

Nós, brasileiros, nos prezamos de uma formação espiritual. Existe também entre nós uma sociedade cujos fins nobilíssimos visam à proteção aos animais. Mas há principalmente, agora, um movimento intenso de educação. Há um governo que se interessa por isso. Há os professores. Há os pais.

Vejamos, com tão preciosos elementos, a que resultado se vai chegar.

Rio de Janeiro, *Diário de Notícias*, 17 de junho de 1930

[Férias]

Este período de férias, há pouco inaugurado, fez-nos pensar nas grandes férias do fim do ano e nas festas que em tal ocasião se costumam realizar.

Num momento de renovação pedagógica, tudo quanto se prenda a esse assunto deve ser previamente estudado com atenção, tendo em vista que aquilo que não é positivamente educativo anda muito perto de ser deseducativo.

Geralmente, as festas que se realizam, no fim do ano, nas escolas, não são orientadas por outra intenção que a de encerrar com um pouco de música, dança e canto o período de trabalhos escolares.

Que significação tem isso, na obra de formação do aluno, e na sua repercussão no próprio ambiente doméstico, que se desejaria completamente solidário com as iniciativas da escola?

Que dançam, que cantam, que representam as crianças das nossas escolas nessas festas que a escola organiza?

E de que modo o fazem?

Todos esses exercícios ginásticos de difícil execução, acompanhados de música e ensaiados de maneira a produzir um grande efeito sobre os assistentes, essas danças típicas e exóticas, essas cantigas, nem sempre adequadas à infância, terão porventura um valor educacional que lhes permita continuar a serem elementos dos programas dessas festas?

Será tudo isso a sincera manifestação de resultados obtidos através de todo o trabalho anual?

Esses complicados exercícios rítmicos serão a consequência, lentamente acumulada, de um curso de ginástica desse gênero, que lentamente habilitou as crianças a essas provas?

Os cânticos vieram de uma longa e cuidadosa elaboração, de um preparo regular da voz do aluno e da sua familiarização com as medidas musicais?

As representações foram praticadas durante o ano inteiro, como forma de expressão natural de conhecimentos que se iam adquirindo, e, nesse momento, fez-se de uma delas, ou graças à sua prática se escolheu qualquer outra para número do programa organizado?

Ou repentinamente, no fim do ano, se resolveu preparar uma festa, na escola, e, então, elaborou-se um plano, independente da capacidade real do aluno em o desenvolver com sinceridade?

Incluiu-se um número da dança; temos um mês diante de nós: vamos ensinar as crianças a dançar.

– A dançar, num mês?

– Oh! a criança aprende com tanta facilidade...

– Que importa que isso não corresponda a uma evolução do aluno?

É preciso fazer a festa.

– Cantar? Oh! toda criança canta.

– É verdade. Mas a escola devia modelar-lhe essa atividade espontânea. Modelá-la?

Não. É preciso refletirmos bem sobre tudo isso. Organizemos pedagogicamente as festas: não sacrifiquemos a criança. Não lhe ensinemos a fingir, nesses espetáculos a que os pais assistem deslumbrados, vendo nos filhos a revelação de pequenos gênios... Não concorramos para estimular a vaidade dos parentes, desorientando-os, também na concepção do ideal de educar.

E tenhamos o cuidado de não fazer sofrer as crianças mais pobres – muitas vezes as mais aplicadas, as mais dóceis, as mais afetivas – envergonhando-as por não poderem tomar parte nas festas, porque lhes faltam os acessórios necessários, e fazendo-as assistir à vanglória dos mais favorecidos, que aparecem triunfalmente nos palcos, muito em desacordo, talvez, com a situação que ocupam na classe...

Não há criança nenhuma que esqueça jamais uma injustiça recebida. E é das crianças que receberam injustiças que se formam os adultos pessimistas ou revoltados, que ficam sempre olhando a vida com amargura e desdém, senão com rancor e indignação.

Rio de Janeiro, *Diário de Notícias*, 21 de junho de 1930

"Eduquemos a criança"

Acabamos de ler a versão espanhola desse livro, de J. Renault, inspetor-geral do ensino na Bélgica. Do ponto de vista da compreensão moderna da alma da criança, parece-nos esse livro abundante de preconceitos. Não é um psicólogo o seu autor; está preso a regras de doutrina que lhe limitam os horizontes dentro de contornos mais ou menos sectaristas. E isso é um grande mal para quem pretende ser verdadeiramente educador, nos tempos de hoje, em que se insiste na preparação do ambiente e na apresentação das experiências, como suficientes para a evolução da criança.

Entretanto, apesar de ser quase um apologista dos castigos corporais, que – ainda nesta época! – lhe parecem proveitosos, escreveu esse autor algumas páginas de crítica aos costumes modernos que, na verdade, são interessantíssimas, e deviam ser lidas principalmente pelas famílias dos alunos, ou, pelas professoras, nas reuniões de Círculos de Pais, tão oportunas são, tão flagrantes e na verdade de tanto peso na solução do problema educacional.

Na sua maior parte pertencem ao capítulo intitulado: "Alguns erros de procedimento". Passemos os olhos por elas:

> Depois de um dia inteiro passado longe da família, entra em casa o pai, à noite. Sua chegada alvorota o filho que, esperando algum presente para ele, se precipita de braços abertos. Por desgraça, o pequeno estouvado vai de encontro a uma cadeira ou a um brinquedo, no caminho, e cai ao chão, violentamente. Não se machucou: mas, assustado pela surpresa da queda, põe-se a chorar em altos gritos.
>
> Então, o pai só pensa em duas coisas: fazer calar o menino e acalmá-lo. Como o conseguirá?
>
> Facilmente, associando-se simplesmente aos sentimentos da criança, ajudando-a a soltar a rédea aos maus instintos.
>
> Estranhais esses meios? Lembrai-vos de que estão em moda, e, embora com certa incredulidade, se refletirdes, observareis tê-los empregados mais de vinte vezes.
>
> O pai precipita-se, levanta a criança, e, para acalmá-la, começa a bater na "cadeira ruim" que fez cair o Carlinhos ou o Joãozinho.

> Desse modo consegue rapidamente o que se propusera, pois Carlinhos ou Joãozinho, feliz por ver a cadeira castigada, cala-se, bate-lhe também, e fica satisfeitíssimo.
> Não é verdade que haveis assistido a cenas dessas em muitas ocasiões? Vamos agora examinar o alcance real deste ato que tão inocente se supõe. Quem tem culpa da queda da criança? Ela mesma, evidentemente. E quem foi castigada? A cadeira.
> Lançando a culpa à cadeira, perde-se uma oportunidade de demonstrar praticamente à criança as consequências da sua imprudência e da sua atrapalhação. Assim se deforma o seu critério de julgar, apresentando-lhe uma falsa relação entre a causa e o efeito.

(Agora um parêntesis: não são geralmente os pais que se consideram mais "bem-educados" que procedem assim com os filhos cheios de mimo?)

Outro aspecto do mesmo caso. Esse é o que se observa constantemente com as pessoas que se prezam de "sensíveis", que "têm loucura por crianças"... Diz o livro:

> Também tenho visto, em circunstâncias idênticas, a mãe precipitar-se para o filho angustiosamente, e levantá-lo (porque a criança sabendo que não lhe deixarão de acudir, continua estendida no chão, sem pensar em se levantar), gritando: "Meu Deus! que desgraça! Vem, queridinho, para os braços da mamãe! Como este anjinho se machucou!..."
> Ainda não é boa esta maneira de proceder, pois só serve para atemorizar a criança sem razão, para persuadi-la de um mal imaginário, a maioria das vezes, e, em qualquer caso, para a deixar lamentando-se por muito tempo.

Agora apresenta o autor um terceiro aspecto, que não há quem não conheça também:

> Procede-se, outras vezes, rigorosamente, dizendo-se: "Que estúpido! que tolo! Já se viu criança mais desastrada?" e acompanham-se as palavras de uma bofetada.
> Melhor seria agir logicamente, conservando a serenidade. Acostumar a criança a levantar-se sozinha, ou ajudá-la a levantar-se sem gritar, convencendo-a tranquilamente da pouca gravidade do acidente, e dizendo-lhe: "Vamos, isso não tem importância; não chores mais. Vês? já estás rindo!..." É verdade que a criança ainda não estará rindo, mas, dócil à sugestão, dentro em pouco o fará.

Criticando, em seguida, os exemplos constantes de mentira que o lar oferece à criança, o autor cita fatos conhecidos de todos nós: A visita importuna que bate à porta, e o pai que manda dizer pelo filho que "não está". A criança que chega atrasada à escola porque a família se deitou tarde na véspera, mas leva um bilhete do pai, dizendo: "O menino esteve doente, passou uma parte da noite a tossir; perdoe o atraso". O filhinho que quebra o jarrão, e a mamãe que responde, quando o marido a interpela sobre isso: "Fui eu" ou "Foi o gato". A mamãe que gasta demasiado comprando um brinquedo para o filho, e que lhe recomenda no caminho: "Se papai perguntar, dize-lhe que só custou tanto". "Não digas nada ao papai, que ele ficaria muito aborrecido." A mamãe que, por ocasião de uma viagem, diminui a idade do filho, para poupar alguns mil-réis...

(Não presenciamos, constantemente, na escola, a mesma coisa, por ocasião da matrícula? E não só se diminui, como se eleva, segundo as necessidades...)

Tratando de estratagemas correntemente usados, com toda a inocência, pelos pais – e será só pelos pais? – refere-se J. Renault ao costume de fazer as crianças tomarem remédios desagradáveis, enganando-as sobre o seu verdadeiro sabor; e de levá-las a arrancar dentes dizendo-lhes que o dentista possui uns pós maravilhosos que consertam as cáries sem sofrimento.

Esses abalos que a criança experimenta na sua confiança têm consequências muito perniciosas na sua formação. Deixam um sabor de desilusão tão profunda que cremos se perpetua por toda a sua vida.

Na análise desses pequenos fatos, o autor do *Eduquemos a criança* revela a boa intenção da sua obra, e a importância que dá aos ensinamentos pré-escolares do lar.

Lendo-o, acode-nos o velho preceito de Isidoro de Pelusa: "Todos os homens concordam em dar mais crédito à vida dos homens de bem que a um juramento. Se quisermos, pois, que acreditem em nós, temos de aperfeiçoar a nossa vida."

Todo o problema da educação ainda depende dessa velha frase do discípulo de João Chrysostomo.

Rio de Janeiro, *Diário de Notícias*, 19 de julho de 1930

Educação nacional

Nos momentos de crise individual e social, sempre que um súbito choque traz à superfície a inquietude, a incoerência, a convulsão que dormiam na profundidade da alma dos homens e das nações, vê-se com clareza que só os educadores poderão construir essa época de serenidade pessoal e coletiva em que a preocupação do trabalho pacífico substitua na existência humana as calamidades oriundas de paixões egoísticas e desgovernadas.

Todos os dias se repete que a criança é o futuro cidadão, e que a escola é o vestíbulo da vida. Mas, não é bastante dizê-lo. Faz-se mister senti-lo profundamente, e, integrando esse sentir na própria personalidade, agir todos os dias no sentido de dar uma realidade positiva a essas convicções subjetivas.

Também todos os dias se diz que temos uma pátria opulenta e majestosa. É rara a solenidade cívica em que as crianças não ouvem enumerar, entre frases finamente selecionadas, as virtudes simbólicas da bandeira nacional. Falam nas matas, falam no ouro, falam no céu...

É perigoso traçar constantemente esse elogio da pátria, fazendo acreditar que a natureza nos foi de tal maneira pródiga, que o trabalho é uma ocupação leve e supérflua, que a vitória da vida se efetua sem dureza, que as dádivas da terra aí estão para atulhar e saciar as ambições.

Façamos com que a criança de hoje não reproduza amanhã, na sua condição de adulto, os erros que ainda perduram nas gerações de hoje, por impulsos de um passado que persiste, em choque com realidades novas, originando lutas, incompreensões, ódios, catástrofes.

O ritmo total do mundo está deslocando os homens da atitude romântica da sua própria contemplação e do seu próprio interesse, para uma ampliação que os projeta na grande palpitação do conjunto social e universal.

Sobre a terra elabora-se uma nova era, de fraternidade autêntica. Elabora-se como consequência do próprio passado, como aparência parcial da estrutura inteiriça da evolução.

Os donos, os responsáveis por esse futuro são os educadores de hoje. Depende da sua coesão, da sua orientação, da sua energia e do seu exemplo a transformação geral que se aguarda.

Nós sentimos que, para que essa transformação se faça dentro de normas serenas, como exige a sua mesma essência, não há outro caminho a não ser o da educação.

Educação nacional, não no sentido restrito, de formar pátrias que se oponham em conflitos de concorrências, mas na grande acepção de promover núcleos humanos de formação integral que, perfeitamente equilibrados nas condições ambientes, e em harmonia comum, estejam permitindo a realização do seu próprio destino, sem contrariedades e sem violências.

Rio de Janeiro, *Diário de Notícias*, 29 de julho de 1930

Os que perturbam, sem o saberem...

Como é difícil ser professor, nestes tempos!

Além desta necessidade de íntima transformação, de adaptação de sentimentos, de submissão de desejos a um ideal indispensável, é mister considerar a enorme precaução com que se tem de agir de modo a situar a criança num ambiente isento de influências que atentem contra a orientação que se nos afigura conveniente, oportuna, purificadora; a orientação que a envolve como um tênue véu, pronto a romper-se com qualquer choque. Sem falarmos já na desarmonia que, às vezes, a criança encontra no próprio lar, sem recordarmos o pernicioso influxo do meio forte da escola, – vizinhança, relações etc. – há, mesmo ao lado da professora, todos os auxiliares da escola que, por ausência de conhecimentos pedagógicos, e de intuição educativa, estão, a cada passo, perturbando a obra delicada dos professores, estorvando-a, enfraquecendo-a, prejudicando-a.

Pensemos um instante nas substitutas desinteressadas pelo problema do magistério no seu grave sentido; pensemos nas guardiãs e nos serventes que, embora sendo quase sempre excelentes criaturas, merecedoras de toda a nossa atenção e boa vontade, nem por isso deixam de constituir muitas vezes embaraço desagradável ao trabalho do professor consciencioso.

Pessoas que, por disposição natural ou desencanto do cargo que exercem se acostumaram a ver a criança com olhos pouco simpáticos. Que sempre encontram um motivo para lhe falar com dureza, em linguagem inadequada, interpretando frequentemente com injustiça cada um dos seus mais simples atos, irritadas e impetuosas.

Criaturas que contrastam de tal maneira com o professor, que se fez sereno e submisso, para entrar em comunicação com o aluno, que este fica sem saber que espécie de coisa, afinal, é a vida onde o que se diz difere tanto do que se faz...

Sei até de secretárias e subdiretoras (arriscar-me-ia a dizer: diretoras e inspetoras escolares, também...) que são um desmentido diário às qualidades de educador e a negação daquilo que o professor se esforça por ser na sua classe.

Bem sabemos que estamos fazendo obra nova com material gasto, e que só assim poderíamos começar, e que o problema subsistirá por algum tempo.

Mas não seria possível chamar a atenção do pessoal subalterno das nossas escolas, essa boa gente acessível e dócil, cuja maldade é apenas ignorância, para mostrar-lhe que também conviria modificar-se um tanto?

Talvez, assim, pelo menos por esse lado, se chegaria a melhorar a situação. Porque, quanto aos que estão em cargos superiores, parece que só jubilados é que se podem corrigir...

Rio de Janeiro, *Diário de Notícias*, 13 de agosto de 1930

Concursos de beleza

O intenso interesse que despertam os concursos de beleza não se limita ao círculo de adultos que se consideram entendidos no assunto. Alcança, também, a criança; penetra na escola, nas páginas dos jornais e revistas; é causa de curiosíssimas "torcidas" nas várias classes, entre meninos e meninas, de tal forma que se organizam verdadeiros partidos e se discutem os méritos de cada concorrente com uma animação digna de ser observada.

No ano passado, vimos crianças que desenharam entusiasticamente retratos das suas prediletas, quando foi da vinda ao Rio de Janeiro das rainhas de beleza dos estados. Preocupavam-se com isso. Sabiam a idade de cada uma dessas jovens, a sua altura, o seu peso, os seus traços fisionômicos. Comparavam-nas umas com as outras, discutiam, diante dos retratos publicados, minúcias de vestuário, de atitude, de expressão.

Ora, coisa tão absorvente como um concurso desses merece ser tratada pelo professor com especial atenção, tanto mais que daí se podem tirar, para o aluno, vários motivos de estímulo às suas íntimas faculdades e sentimentos.

Não se deve impedir que, numa classe, a criança abra as revistas ilustradas para comentar as fotografias das belas jovens em concurso. O que é necessário fazer é conduzir o interesse da criança desse terreno superficial para outros mais longínquos, mais fecundos, mais favoráveis à sua formação interior.

Não será, porventura, este encontro de moças de tantas nacionalidades, um excelente meio de chamar a atenção da criança para as possibilidades de fraternização mundial, fraternização de pensamentos e sentimentos, em torno de um ideal de beleza que, afinal de contas, não se deve resumir apenas numa plástica impecável, mas nesse conjunto de atributos psicológicos que são o lado menos precário da beleza?

Hospedar numa terra embaixatrizes de tantos povos, vê-las com simpatia e amor, não é, já, aproximar corações, territórios, almas?

É mais fácil fazer a criança gostar de qualquer país através da moça bonita que ela pode ver, sentir, acompanhar com o seu interesse, que através desses monótonos mapas lustrosos ou rotos que, à passagem do vento, ondulam nas paredes, batendo, melancolicamente, a barra de madeira preta de encontro a ela, com um rumor surdo de coisa inútil.

Que bela ocasião para ensinar geografia, história e tantas outras coisas, – solidariedade... patriotismo... – agora, durante este concurso de beleza!

Estas jovens estrangeiras que nos visitam, bem podiam comparecer a uma grande festa infantil que se organizasse com o fim de pôr a criança em contato com o mundo, através da sua presença.

Pequena festa com projeções, por exemplo, de um pequeno trecho de cada país representado neste concurso.

Sabemos – e ai de nós, como o sabemos! – que é difícil... Mas como seria inesquecível!...

Rio de Janeiro, *Diário de Notícias*, 23 de agosto de 1930

À margem da Reunião Educacional

A Reunião Educacional de Dirigentes de Instrução dos estados que se vem efetuando nesta cidade já vai começando a fornecer comentários muito interessantes para os que, com imperturbável serenidade, encaram com olhos agudos todas as situações que se lhes deparam.

O primeiro comentário que ouvimos foi a propósito da própria entidade organizadora do certame, que, tendo o nome de Federação Nacional de Sociedades de Educação, e pretendendo representar as associações de educação do país, não conseguira apresentar sequer filiada a si, nenhuma das várias sociedades, dessa natureza, existentes no próprio Distrito Federal. Por quê? Indagavam. Ainda se há de saber.

Os outros comentários vieram logo depois.

Qual teria sido o visitante que, na Escola Uruguai, ficou desgostoso diante de certos desenhos infantis representando legumes, massas alimentícias etc., – pois ilustravam o centro de interesse "o prato de sopa" – queixando-se ao colega da esquerda de ser muito "material" a inspiração? Não teria nunca, essa pessoa, ouvido falar da classificação dos interesses da criança? Não terá, por acaso, lido alguma coisa de Decroly, que, apesar de tudo, é um dos mais divulgados autores, no Brasil? Quando foi que a pedagogia lhe mostrou a conveniência da aplicação de temas abstratos ao ensino das escolas?

O terceiro comentário gira em torno das imagens da Senhora Santa Ana, distribuídas também entre algumas pessoas, por outro membro da comitiva durante a visita a uma escola... A ideia, sem dúvida, é piedosa... Mas como se trata de uma reunião educacional...

É preciso não esquecer que estamos em plena Reforma Fernando de Azevedo... Reforma que, pelo próprio fato de definir um ideal moderno, de proporcionar uma grande quantidade de motivos de ordem atual, dá ao professorado permissão para exercer as suas faculdades de observação e de crítica, desenvolvendo-lhe a visão do problema educacional – que é o propósito preliminar desta Reforma...

Como se vê, tudo, neste mundo, tem aspectos imprevistos... Na Reunião Educacional, surpreendem as coisas de educação... No acampamento escoteiro, chefes agridem-se mutuamente... Nas visitas às escolas, sai-se antes de uma aula terminada, ou chega-se à escola depois de encerrado o expediente...

E tudo isso é para intercâmbio... Intercâmbio de quê? Não se sabe. E, afinal de contas, talvez seja melhor não saber...

Rio de Janeiro, *Diário de Notícias*, 24 de setembro de 1930

O amor à infância...

O brasileiro é por índole sentimental. Comove-se facilmente, está sempre pronto a verter lágrimas copiosas, tanto de satisfação como de dor. Com esse coração sensível que as célebres "três raças tristes" lhe legaram, não pode ver criança, feia ou bonita, que não sinta imediatamente ganas de a apertar, de a beijar, de a "esmagar".

Todos nós conhecemos pessoas com esse frenesi. E, depois do acesso, voltam-se para a gente e dizem, radiantes: "Ah! não imagina como gosto de crianças! É uma verdadeira loucura!..."

Que é uma loucura, não é preciso que o digam: bem o vemos. Se o petiz é ainda de colo, inventam mil espécies de maus hábitos para provarem o seu amor: fazem-lhe touquinhas cheias de laços e de bordados, com forros de seda e orlas de arminho, com as quais oprimem a cabecinha do bebê e o fazem transpirar deploravelmente. Trazem-no nos braços o dia inteiro, opõem-lhe na boca chupetas com açúcar, no pescoço cordõezinhos de ouro, e adormecem-no cantando que o papão está em cima do telhado.

Como se vê, é mesmo uma loucura completa.

A chupeta estraga-lhe os intestinos, além de lhe causar provavelmente algum mal aos nervos; os cordõezinhos de ouro machucam-lhe a pele delicadíssima; e o papão fica sendo o motivo de todos os seus futuros pesadelos, de todos os seus sobressaltos, de todas as suas angústias da infância.

Quando a criança estende a mão para um objeto – oh! como negar alguma coisa àquele anjinho? – põe-se-lhe logo o objeto na mão. Que o quebre! que o estrague! – é o tributo que todos pagamos à vida... Quando nós éramos pequenos, também fazíamos assim...

Se o bebê cai na tolice de espirrar, enrolam-no em todas as cobertas que possuem, fazem-lhe a caminha mais quente do que nunca, fecham bem as janelas do quarto, para evitar o vento, e de cinco em cinco minutos metem-lhe o termômetro embaixo do braço.

Chama-se a isso agasalhar... Pobrezinho!

Um dia, o petiz tenta chamar a mamãe e o papai. Balbucia sinteticamente... Estabelece-se, então, que todas as coisas devem ter nomes fáceis, para o ajudarem a falar. E toda a casa se enche da nova língua: dadá, tem-tem, nenê, imbó, fonfom, pepé, totó, pacá, mimi...

Estão fazendo o pequeno tatibitate. Mas, que importa? Quando crescer, aprende... É tão engraçadinho assim...

E, com a fatalidade do tempo, o bebê ensaia o primeiro passo. Oh! que coisa nunca vista! Chama-se a família, chamam-se os vizinhos, dispõe-se o bebezinho encostado numa parede, e de lá da parede fronteira diz-se na linguagem da casa:

– Ndándá, nenê, ndándá, pá ganhá tem-tem...

O bebê não está disposto a andar... Mas quem é que vai pensar na liberdade da criança? E como perder um espetáculo tão bonito?

Passa-se a chupeta no açúcar, e atrai-se o pequeno... É tão simples... E todo mundo acha tão engraçado...

Depois, a criança cresce.

Começam a ver que fala torto, que é imperiosa, exigente, interesseira e artificiosa. Ninguém se lembra dos mimos que a corromperam, das festinhas exageradas que lhe foram feitas, dos sestros de que se serviram para a "desenvolverem"...

E como as gracinhas da infância já passaram: a solinha rosada do pé, a boquinha sem dentes, o cabelinho de paina... – põem-na de castigo, censuram-lhe os modos e suspiram pelo dia em que a mandarão para a escola, a fim de a... consertarem...

Oh! esse amor à criança... Essa "loucura"...

Se todos esses apaixonados quisessem refletir um pouco sobre o futuro das suas pequeninas vítimas!...

Rio de Janeiro, *Diário de Notícias*, 12 de outubro de 1930

Falsos motivos

Entre o mundo dos adultos e o das crianças, levantam-se continuamente altíssimas paredes de falsos motivos.

Para cada pergunta que um filho dirige à sua mãe e até, muitas vezes, que um aluno faz à sua professora, surgem respostas fantásticas, inverídicas, perturbadoras, conforme o fim que visa quem responde – e que, desgraçadamente, raras vezes é o de satisfazer a curiosidade de quem pergunta.

Certa vez, ouvimos este diálogo:

– Vem dormir, minha filhinha, que já são nove horas.

– Por que é que a gente às nove horas tem de dormir?

– Por quê?

Havia inúmeras respostas certas para essa pergunta simplíssima. Pois sabem qual foi a que apareceu? Esta:

– Porque às nove horas o homem do saco passa por esta rua...

Em matéria de higiene é fácil encontrar crianças rebeldes. Principalmente quando vêm de um meio onde o asseio é considerado luxo. Então, há pessoas que, para obterem dos petizes alguma simpatia pela água e o sabão, inventam coisas do arco da velha: quando não se lavam as orelhas, nascem bichinhos no ouvido; não se tomando banho todos os dias, fica-se com pele de cobra etc.

Mas, quando as crianças se reconciliam com a água e o sabão é difícil perderem o amor pela espuma e as suas lindas bolhas coloridas – prêmio inesperado daquela demorada reconciliação.

Passam o dia inteiro esfregando sabão nas mãos, embaixo da torneira. A família prudente não se conforma com um brinquedo tão dispendioso... Então, a vovó, infalivelmente, diz, com o prestígio de quem sabe pregar botões e tapar os buracos da roupa dos netos:

– Olhe, menino, espuma de sabão faz feridas...

Um dia chegou à nossa classe um menino com a blusa pelo avesso. Pensamos que fosse distração; mas, chamando-lhe a atenção para o caso, verificamos que uma forte razão se opunha a que o pequeno a virasse.

– A titia me disse que não mexesse, não... Que deixasse assim mesmo... Porque roupa vestida pelo avesso dá sorte...

Valia a pena andarmos todos assim, não acham?

Uma senhora, muito piedosa, dizia, uma vez, a um grupo de crianças que se divertiam maltratando um cão...

– Chi! meninos, não façam isso... Quem bate nos bichos fica com as mãos tortas!

Por ocasião das grandes tempestades, é natural que as crianças se assustem com o estrondo dos trovões. Parece-nos que, como dose de susto, já lhes bastava essa... Mas há quem a aumente, inventando coisas terríveis: que o céu está irado contra a terra, que é um castigo que vai desabar da altura, porque o menino, por exemplo, meteu o dedo no doce etc.

Nunca me esquecerei do que me disse, em pequena, uma criada meio poeta: que os relâmpagos eram frestas que se abriam no céu, deixando ver o inferno, do outro lado. Até hoje me lembro disso, com as palavras dela, o gesto, o ar de sabedoria com que me fez tão segura e impressionante revelação.

Lembro-me e sorrio. Há muito tempo que sorrio... Desde que, ainda muito pequena, me explicaram a sério como o relâmpago se produz.

Todas as crianças sorrirão, também, quando virem que o homem do saco não passa às nove horas, que não nascem bichinhos no ouvido, que não se fica com pele de cobra, por falta de banho, e que as mãos não se entortam por baterem nos cães...

Outras ficarão tristes, quando, por exemplo, virem que a roupa pelo avesso, em vez de sorte, pode atrair a zombaria dos colegas.

Mas, entristeçam ou sorriam, o indiscutível é que não darão crédito daí em diante, ao que lhes disserem as mamães, as vovós, as titias...

E não há coisa de mais graves consequências que perder a confiança de uma criança.

Rio de Janeiro, *Diário de Notícias*, 14 de outubro de 1930

Grandes e pequenos

Todos nós ou já dissemos ou já ouvimos dizer alguma vez a uma criança:

– Então, você está lambendo o açúcar das pontas dos dedos? Você vai descer a escada pelo corrimão? Vai meter os pés descalços na poça d'água? Vai tirar a manga do quintal do vizinho? Vai rasgar um lenço novo para fazer rabo de papagaio? Onde já se viu uma coisa dessas? Veja se eu faço isso! Você deve fazer como eu...

A criança que tiver ouvido isso ficará completamente na mesma. Daí a instantes, se vier a propósito, tornará a lamber os dedos, a descer a escada por aquele método veloz, a mergulhar os pés na poça d'água, a atentar contra a mangueira do vizinho e a sacrificar os lenços que encontrar.

Não é por desobediência, maldade ou espírito de rebeldia, – mas simplesmente porque a criança age como criança e não como adulto, que lhe citou enfaticamente o seu exemplo:

– Veja se eu faço coisas dessas!

Está claro que não faz. Se fizesse, seria uma anormalidade. Uma anormalidade precisamente análoga à da criança que pudesse agir como gente grande.

Mas a parte mais interessante nesse jogo de comparações é o estado contraditório em que constantemente ele, o adulto, é cercado pela ágil curiosidade sempre insaciável da criança e pela sua dedução implacável.

– Veja se eu estrago os presentes que me dão! diz a mamãe, apontando o brinquedo que a filhinha quebrou. Você deve fazer como as pessoas grandes: ser arrumada, cuidadosa. Não está vendo a mamãe?

Então, no dia seguinte a menina passa carmim no rosto.

– Oh! mas onde é que se viu uma coisa destas? Então, criança passa carmim no rosto?

E a pequenita, com a maior inocência:

– É como a mamãe faz...

(É preciso refletir no transtorno interior dessa pobre criatura diante das censuras que lhe fazem, e que não produzem efeito, porque ela não as compreende...)

À hora do almoço, os adultos repetem a sobremesa. Certos adultos... Porque nós não generalizamos, quando escrevemos estas coisas... E as crianças, sob pretexto de que doce dá cólicas e açúcar faz bichas, são contempladas com uma dose mal proporcionada ao seu apetite.

– Mamãe, eu queria mais...

– Não, porque você é criança...

Daqui a pouco, o pequeno suja a roupa de tinta.

– Que horror! Gente grande não faz isso...

Como se vê, é uma desorientação completa. A criança chega à conclusão – confusamente, no mistério da sua alma – de que os seus direitos são de criança, mas, os seus deveres, de adulto. Sua liberdade, miudamente, sente-se injuriada e sofre. E o tédio dessas incompreensões gera-lhe um vago desejo, que pouco a pouco se consolida, de atingir a essa idade em que se pode agir com independência, e na qual parece que todas as coisas que se fazem saem bem-feitas.

Assim passam as crianças pela infância sem esgotarem o sabor da infância, atraídas pelas vantagens de *quando forem grandes*...

E essas que assim passaram são, desgraçadamente, aquelas que, depois de atingirem a mocidade, sentirão com maior nostalgia aquele tempo não vivido, e compreenderão que a sua existência não tem totalidade, porque lhe foi arrancada a parte melhor, que devia ter sido, apenas, orientada e que, lamentavelmente, foi oprimida com tiranias, violências e incompreensões.

Rio de Janeiro, *Diário de Notícias*, 15 de outubro de 1930

A criança e o segredo

Num bonde de Botafogo, às três horas, justamente no momento em que o veículo vai chegando à praia.

Personagens: a mamãe – jovem, bonita, elegante; a filhinha – bonita; a amiga da mamãe – elegante.

Parece que vão fazer uma visita. Conversam animadamente. Como a criança está no meio, a conversa das duas senhoras passa por ela, com as suas perguntas e respostas, obrigando-a a voltar a cabecinha para um lado e para o outro, ao mesmo tempo que sublinha cada frase com uma expressão de inteligência ou incompreensão.

Quando o assunto está em plena efervescência, a menina intervém com um aparte. E daí em diante a conversa, passando de um lado para outro, inevitavelmente para a uma objeção da terceira interlocutora, objeção que parece sempre ser muito interessante, dada a atenção com que a ouvem as outras duas.

Mas as crianças facilmente se tornam inconvenientes...

Quando o assunto está em porção de coisas que a gente faz por descuido, e que as crianças registram na memória com uma fidelidade espantosa. E, por aquela maldita fatalidade das associações de ideias e da invasão do subconsciente, todas essas coisas, um dia, vêm à tona, no momento mais inoportuno, em circunstâncias absolutamente imprevistas e irremediáveis.

Aliás, todos sabem que até com os adultos bem-intencionados sucede a mesma coisa, frequentemente.

A certa altura da conversa, a mamãe começa a ficar meio inquieta, sorrindo com mais reserva, e interrompendo amiúde as observações da menina.

Mais adiante, já aponta para a paisagem, a ver se ela se distrai. Mas a menina está absolutamente bem instalada no assunto, com os olhinhos rebrilhando de contentamento. É um pouco tatibitate: mas não faz mal. E a amiga da mamãe está muitíssimo interessada.

O bonde anda até o poste seguinte sem que ela interrompa a sua narrativa.

Então, a mamãe sorri para a amiga, como quem diz: "Você sabe, é preciso calar a boca desta tagarela..." E, pondo a mão em concha no ouvido da menina, diz-lhe qualquer coisa muito cheia de "ss", acompanhada de um olhar profundamente confidencial.

– Como é?

A menina não entendeu bem...

E torna a mamãe a repetir o segredinho, enquanto a mão enluvada diz que não, terminantemente, com o indicador autoritário e irritado.

Como conclusão do armistício, um beijinho rápido e inesperado nos caracoizinhos dourados enrolados na testa.

A amiga sorri, a mamãe sorri, e a menina olha para uma e para outra, meio desconfiada, sem dizer mais nada.

Esta criança pode ter uns cinco anos.

Quando tiver mais dez a mamãe um dia lhe perguntará, entristecida: "Mas, minha filha, que segredo é esse que você me esconde?"

Já não se lembrará que ela mesma lhe ensinou a calar... Que dividiu a vida em duas partes: uma que se pode, outra que não se pode mostrar. Que a menina que antigamente assistia aos exemplos de casa está praticando, agora, aqueles exemplos...

Rio de Janeiro, *Diário de Notícias*, 17 de outubro de 1930

Nós e as crianças

Quando nos aproximamos do mundo infantil, o primeiro cuidado que devemos ter é o de agir de tal modo, que entre nós e as crianças se estabeleça uma ponte de absoluta confiança, por onde possamos ir até elas, e elas, por sua vez, sejam capazes de vir até nós.

A certeza de que estamos sendo todos os dias observados, que constituímos um espetáculo permanente para a sua curiosidade, e um motivo de contínua experiência para as suas verificações, deve emprestar-nos uma inabalável coragem para nos examinarmos também a cada instante, considerando tudo quanto possa, da nossa parte, fazer vacilar a fé que lhes pretendemos inspirar, inutilizando, assim, a nossa capacidade de as servirmos com êxito.

Há os que frequentemente pecam por desatenção no trato da infância, – por inaptidão e ignorância, também.

Mas conhecemos alguns que pecam por excessivo zelo, por demasiada boa vontade, por extremos de solicitude.

A infância, afinal de contas, é apenas esta coisa simples; uma etapa da vida humana, da bela, heroica e forte vida humana, com todas as suas derrotas e vitórias. Se a infância, pois, não deve ser diminuída a ponto de parecer um estado subumano, a que se não dá atenção e pelo qual não se tem interesse, também, parece-nos, não deve ser protegida e orientada dentro de limites tão rigorosamente científicos, tão esquemáticos, que nos deixem uma impressão de frio, convencional artificialismo, ainda que cheio de boas intenções.

A psicologia, estudando cada detalhe da vida profunda, a pedagogia, pesquisando cada possibilidade de atuar sobre ela, para lhe favorecer o desenvolvimento, atinge níveis teóricos que devem ser considerados como conquistas de pura investigação.

Nós não podemos fazer de cada criança um motivo de investigação dessa espécie. Depois desses amplos estudos, que nos rasgam os mais arrojados horizontes, precisamos voltar à vida de todos os dias, cuja atmosfera não deve ser a mesma dos laboratórios.

A criança perderá a simpatia pelo professor que a cada instante lhe faz mil perguntas hábeis sobre mil coisas simples. Sente que está sendo experimentada. Foge a essa devassa minuciosa. Enfastia-se.

Rio de Janeiro, *Diário de Notícias*, 24 de outubro de 1930

Ouvindo as crianças

Há inúmeras pessoas que se distraem e se divertem ouvindo falar as crianças, pelo simples motivo de que as estropiações de linguagem provocam a curiosidade e o riso.

Não queremos dizer que seja isso um hábito louvável, porque pode ser compreendido que, nesse caso, convém insistir em dar às crianças ocasiões para agravarem uma pronúncia defeituosa, pela simples vantagem de fazer rir os adultos.

A criança não é um boneco, cujas habilidades ou inabilidades se exploram. É uma criatura humana, com todas as forças e fraquezas, todas as possibilidades de evolução e involução inerentes à condição humana. Por isso mesmo, são condenáveis todas as atitudes que a rebaixem, ou que lhe estorvem o seu normal desenvolvimento.

Há, porém, uma forma de justificar o interesse de ouvir as crianças, nas suas extraordinárias inovações filológicas: quando se está como observador, assistindo à passagem de toda a alma infantil nas simples manifestações de uma linguagem empregada no seu verdadeiro sentido; isto é, como legítima forma de expressão.

A lógica e a imaginação infantis originam pequenas maravilhas.

Senão, vejamos:

Uma criança de três anos está acostumada ao emprego do sufixo *inho* como expressão carinhosa.

Quando está contente com os passarinhos, quando os quer tratar com meiguice, trata-os por *passarinhos*; mas, quando se aborrece com eles, ou se refere desinteressadamente a algum, põe a palavra no positivo, que, para ela, é *pássaro*.

A mesma criança constrói verbos inesperados. Por exemplo: está reproduzindo o desenho de um rótulo, em que há uma estrela sobre um fundo preto. Desenha a estrela, e em seguida exclama: "A estrela está pronta, agora só falta *pretar*." *Pretar*, já se vê, é encher de preto o fundo...

Uma vez, falam-lhe do Natal, dos presentes que vai ganhar, e ela explica que já viu o Papai Noel num jornal, e imagina como pode ele chegar ao seu quarto.

"Ele vai *enfinando, enfinando,* até passar pelas venezianas."

Todas essas construções de palavras significam um processo íntimo, interessante de analisar.

Assim também a rigorosa concordância a que se sente obrigada outra criança, que dá ao adjetivo *carioca* um masculino *carioco,* e diz que o papai é marido da mamãe e a mamãe *marida* do papai.

São pequenas coisas, coisas que se recolhem com surpresa depois de alguns minutos de conversa com qualquer criança, mas que podem dar volumes de estudo, desde que se leve em consideração o valor de todos os detalhes da vida e do mundo infantil.

Esses detalhes, que nos ajudam a compreender uma etapa da existência que já se diluiu ou perdeu na nossa memória, dificultando-nos a introspecção, são um precioso auxiliar para o professor que realmente deseja ser alguma coisa mais que um detestável burocrata, inaceitável nesta era educacional.

Rio de Janeiro, *Diário de Notícias,* 21 de novembro de 1930

A escola para as crianças!

A mais rude prova que já tive de uma escola esquecida da infância, embora em plena vigência da Reforma Educacional, – que é um constante apelo à memória do professor para o sentido da sua vocação, – tive-a numa festa de cordialidade internacional, no momento justo em que a infância era alvo de uma manifestação dessa espécie.

Não nego que a festa estivesse bonita, e que para qualquer lado para onde se olhasse não se encontrassem motivos de encanto, de ornamentação das paredes à exibição dos chamados trabalhos infantis.

Não nego que todos os professores estivessem movidos pelas melhores intenções de pertencer à nova corrente, e tomassem todas as atitudes de que já ouviram falar nos tratados e conferências pedagógicas.

Era a coisa que mais se via, realmente: essa preocupação de estar realizando coisas modernas: de ter o livro de classe todo colorido, pelos cantos, de possuir correspondência infantil, de arrumar as carteiras em filas convergentes, de fazer modelagem e possuir uma biblioteca toda forrada de papel impermeável.

O que não se via muito bem era a significação de todas essas coisas, aquela significação que lhes deu origem, não para criar, vaidosa e inutilmente, uma aparência de escola diversa da antiga, um ambiente exótico, uma fantasia ou uma brincadeira de gente que procura "originalidade", – esse terrível escolho que faz soçobrar as aspirações medíocres.

As crianças corriam para um lado e para o outro. Mas nessa correria não senti o gesto espontâneo da liberdade: pelo contrário, ela parecia uma maneira de dizer: "Vejam como nós estamos adiantados, em pedagogia! Deixamos correr os alunos! Não os fazemos mais andar aos pares, de braços para trás! Somos pioneiros, também, da Nova Educação! Lemos tudo! Conhecemos tudo! Praticamos tudo!"

E era positivamente verdade que tinham lido e conheciam e praticavam senão tudo, pelo menos uma grande parte.

Apenas, a Nova Educação, tal como deve ser, não consiste nisso...

Consiste naquele "espírito" de hoje, que unifica a vida em todas as suas funções e se serve de novos meios para a sua manifestação, quer na escola, quer fora dela, em todos os aspectos políticos e sociais.

Ela é aquela "alma diferente", em contraste com a alma de até aqui. E que, sendo assim nova, não é, no entanto, artificial. A outra é que o era, acurvada ao peso dos preconceitos e ao cativeiro das tradições. Esta, que todos estranham, tem por toda estranheza o fato de querer ser livre, como é da sua condição.

Creio, porém, que todos aqueles que se esforçavam por mostrar a sua perfeita atualidade, e tão contentes prepararam a festa com o ideal de marcar uma época nos fastos escolares devem ter compreendido, em certa hora, que havia um lamentável equívoco, em si mesmos, e que aquela escola não estava integrada no seu papel, e os professores tinham tido um formidável lapso de memória.

Foi quando certa pessoa estrangeira puxou para ler um discurso, no momento mais importante da solenidade, naquele que a justificava, que lhe tinha dado origem, que era a sua razão de ser.

Escola não é um edifício, não é um corpo docente. Escola é um conjunto de crianças.

A pessoa em questão, sabia que, falar a uma escola, é falar aos seus alunos. Por isso desconhecendo o ambiente que lhe estava reservado para falar, puxou o seu discurso, no momento devido, e começou, embora na sua língua: "Crianças!..."

O discurso foi por aí além, sempre dirigido aos alunos, numa linguagem especial para eles com alusões adequadas...

Mas os ouvintes eram todas as pessoas presentes, todas: menos as crianças... precisamente.

Rio de Janeiro, *Diário de Notícias*, 23 de novembro de 1930

Os indícios da alma infantil

A alma infantil, como, aliás, a humana alma, não se revela jamais completa e subitamente como uma janela que se abre deixando ver todo um cenário. Suas comunicações com o exterior – e até consigo mesma – se fazem veladamente, aos poucos, mediante detalhes de tão grande reserva que frequentes vezes passam de todo despercebidos.

Quando se trata de orientar a criança, é necessário conservar bem sensível esse tato especial que, num dado mínimo, conquistado à espontaneidade infantil, descobre uma larga extensão interior, ou galga uma imprevista eminência em que as vistas do observador se podem derramar com abundância e proveito.

Ocorreu-me isto ouvindo uma colega contar-me:

– Os presentes mais engraçados que eu já recebi de alunos, foi, certa vez, na zona rural: um, levou-me uma pena de pavão incompleta: só com aquela parte colorida da ponta; outro, uma pena de escrever, dourada, novinha; outro um pedaço de vidro vermelho...

Senti que os meus olhos se alargavam de curiosidade, querendo saber a repercussão desses três deliciosos presentes na compreensão de uma professora.

– O caco de vidro, continuou ela, foi o que mais me surpreendeu. Não sabia o que fazer com ele. Pus-me a revirá-lo nas mãos, dizendo à criança: "Mas que bonito, hein? Muito bonitinho, esse vidro..." Procurava, assim, provar-lhe o agrado que me causava a oferta. Ela, porém, ficou meio decepcionada, e, por fim, disse: "Mas esse vidro não é para se pegar, não... Sabe para que é? Olhe: a senhora põe-no assim, num olho, fecha o outro, e vai ver só: fica tudo vermelho... Bonito, mesmo!..."

E a colega concluiu:

– Esses presentes sem valor são, em geral, os mais sinceros. Têm uma significação muito maior que os presentes comprados, que, afinal de contas, são simples questões de dinheiro...

Não há dúvida que a conclusão da colega é muito boa, – embora eu saiba que muitas outras colegas, certamente, discordarão dela e de mim... Mas é ainda uma conclusão de natureza sentimental. E há outra, que me parece mais interessante, e de caráter mais psicológico.

O que me interessou, no caso relatado, foram os indícios da alma infantil que se encontraram em três presentes de criança, trazendo cada um, sob uma aparência diversa, a mesma revelação íntima.

Uma pena de pavão incompleta (reparem bem), só com "aquele pedacinho colorido da ponta", uma pena de escrever *dourada*, novinha, e um caco de vidro vermelho são, para a criança, três representações de beleza concentradas no prestígio da cor e desdobradas até o infinito pelo milagre da sua imaginação.

Essas três ofertas, portanto, – da mais humilde aparência, para um adulto desprevenido, – não devem ser julgadas como um esforço entristecido da criança querendo dar um presente, sem ter recursos para o comprar. A significação do dinheiro, mesmo nas crianças de hoje, ainda é das mais vagas e confusas. E a sua relação de valor para com os objetos que a atraem é quase sempre absolutamente inesperada.

Eu tenho certeza de que uma criança que dá a alguém uma pena dourada, uma pena de pavão e um caco de vidro vermelho dá-os com certo triunfo, com certa convicção de que se está despojando de uma riqueza dos seus domínios, de que está sendo voluntariamente grande, poderosa, superior.

A infância tem gosto em possuir essas qualidades, e em as poder afirmar.

Depois é que não sei o que há no mundo que tudo se vai transformando, como os desenhos de um caleidoscópio, e a personalidade se vai desenhando de um modo diverso, e as puras e belas noções da infância se vão convertendo noutras, muito diferentes, e a gente vai perdendo o gosto de dar com alegria, e, muitas vezes, até de receber...

Rio de Janeiro, *Diário de Notícias*, 18 de dezembro de 1930

A infância

Nós somos a saudade da nossa infância. Vivemos dela, alimentamo-nos do seu mistério e da sua distância. Creio que são eles, unicamente, que nos sustentam a vida, com a essência da sua esperança.

As aspirações que nos animam hoje – pensemos um pouco – são transfigurações daquelas de outrora, quando não podíamos ainda agir sozinhos, e andávamos apressando a vida, querendo atingir bem cedo a liberdade dos nossos desejos e a fórmula estrutural da nossa personalidade. São as mesmas de então, com outros nomes, às vezes, com a roupagem um pouco mudada, às vezes, desconhecidas aos nossos próprios olhos, que as esqueceram. Transferimo-las *para quando fôssemos grandes*... E o tempo que decorreu com essa transferência foi-se embebendo de circunstâncias que as transformaram; nada mais.

As coisas que nos impressionaram vivamente quando ainda não podíamos definir os motivos da nossa surpresa e da nossa admiração, quando nem sabíamos distinguir nitidamente essa admiração e essa surpresa, deitaram raízes obstinadas nas mais profundas regiões subjetivas; depois, foram sendo elaboradas lentamente, e vieram à tona em dias inesperados, afluindo, muitas vezes, em fragmentos – porque há sempre mãos impiedosas, concretas ou abstratas, pairando sobre os destinos humanos...

Somos, assim, um outrora que se faz presente todos os dias, não porque o presente seja a sua forma desejada como definitiva, mas porque é a transição a que a natureza submete tudo quanto transborda para mais longe, no tempo, e o crivo em que é vertido o passado que se faz futuro.

Nós temos a nossa infância conosco. E ela conosco morrerá, se acaso não ficar sendo a decoração de alguma sobrevivência que nos aguarda para lá da morte.

Temos as paisagens da nossa infância imortalizadas em nós; e os vultos que por elas transitaram, e as palavras que então floresceram, e o ritmo e o aroma que animavam cada aparência tornada confusa e obscura pelo tumulto das épocas seguintes.

Falamos da família como de uma afeição que cresce todos os dias, com a *consciência* da nossa sentimentalidade. Eu creio que amamos os que se fixaram na *inconsciência* da nossa sensibilidade, que se incorporaram à nossa vida ideal, que foram as formas dóceis aos milagres da nossa imaginação, e os enfeites de esperança que estiveram na nossa alma de crianças, acesos como candelabros...

Falamos de pátria como de um conceito claro, como uma consequência de todas as nossas noções de responsabilidade e de todas as aquisições da nossa experiência de adultos. Eu creio mais na pátria formada pelo conjunto das benquerenças antigas acumuladas em nós com esse amor indizível com que a infância coleciona pequenas coisas de beleza, e pequenas realidades sem valor, – elementos constitutivos dos seus domínios posteriores.

Integramos em nós a vida que nos rodeia quando somos pequeninos: absorvemo-la em todos os seus aspectos. E, assim, fundamentamos a nossa personalidade, tão difícil de alterar depois, quando os elementos perderam a sua plasticidade primitiva e adquiriram relativa consistência.

Se procurarmos bem, encontraremos vestígios de um desgosto que nos manchou de tristeza para sempre, de uma injustiça que nos transmitiu certo mal sem remédio, de uma alegria que nos estimulou para entusiasmos novos, de uma ternura que determinou a flexuosidade afetiva da nossa existência... Lá longe na infância é que habitam esse desgosto, essa tristeza, essa alegria, essa ternura. Porque só nos interessa o inédito... O que veio depois não trouxe mais surpresa; o que veio depois só influiu em nós se, por sua natureza, não pôde habitar na infância; foram, nesse caso, conquistas da adolescência, essa segunda infância da vida.

Nós todos desejamos uma humanidade melhor. Olhemos para as crianças de hoje não apenas com inútil carinho, mas com elevação e inteligência.

Rio de Janeiro, *Diário de Notícias*, 20 de dezembro de 1930

O interesse pelas crianças

O interesse pelas crianças é muito relativo, conforme a classe que se observa, mas, infelizmente, em todas elas, domina uma tão absoluta incompreensão dos problemas infantis que eles são sempre mal interpretados, e conduzem quase infalivelmente a soluções tristes e desacertadas.

Não sei como se instalou na mentalidade do adulto o conceito de que a criança é um ser de importância secundária, a que se presta estritamente a atenção necessária para não o deixar morrer de inanição.

Observemos o que se passa nas famílias: a mamãe compra os mais belos sapatos para si, os tecidos mais vistosos para os seus vestidos, enfeita os seus aposentos com o maior cuidado. Depois, vai à sapataria, e diz, escolhendo o sapatinho dos bebês:

– Não precisa ser coisa muito boa, não; qualquer coisa serve... É para criança...

Em todas as lojas repete a mesma frase.

E os cantinhos destinados ao bebê são os que não podem servir para os adultos, aqueles em que se amontoam os brinquedos, os papéis, as pedrinhas – o mundo infantil com a sua maravilhosa e misteriosa complexidade...

Mostram a casa às visitas, elogiando os quadros, os paninhos bordados e as plantas das janelas. Quando passam pelo domínio do bebê, ou não dizem nada (meio envergonhadas com a sua existência), ou justificam-no com palavras que revelam toda a distância que as separa de seus filhos:

– É aqui que as crianças brincam... sabe... Não se podem evitar esses cantinhos desarrumados... São o martírio das donas de casa... Mas, quando se tem filhos...

Dir-me-ão que nem sempre é assim. E é verdade, nem sempre. Algumas vezes é pior... Quando os pais resolvem achar os filhos "geniais", nesse sentido de vaidade que é uma das grandes corrupções da infância.

Então, aborrecem as crianças à força de as cercarem de todas as coisas que o seu dinheiro lhes pode dar, oferecem-lhes salinhas muito bem arrumadas, com uma porção de coisas inúteis, em que elas não devem mexer, – coisas que estão ali visivelmente para dar gosto aos adultos, para satisfazer os seus interesses, e não os interesses dos pseudopossuidores...

Esse é um dos casos em que a riqueza tem efeitos dos mais perniciosos: acarreta a anulação da personalidade infantil, verdadeiramente sufocada pelo excesso de motivos que a ambientam, tolhendo-lhe a liberdade criadora, sem lhe servirem sequer de experiência a acumular, porque a experiência da criança só se constrói sobre as forças vivas dos seus interesses legítimos.

É contristador ver-se a infância dessa maneira situada, reduzida a uma espécie de apêndice da vida adulta, – ela que é a única esperança de um tempo mais belo sobre a terra.

E a todo instante se repetem esses desrespeitos à sua condição – oriundos da ignorância que persiste principalmente nas camadas que com tanta ênfase se denominam a si mesmas cultas e educadas.

Onde eu tenho encontrado mais sensibilidade no trato com a infância, – sensibilidade que chega a ser uma espécie de intuição psicológica, – é nos meios considerados inferiores, onde a cultura e o dinheiro são uma [palavra ilegível] longínqua...

Talvez por isso mesmo, porque, nele, as vidas se debatem numa espécie de primitivismo original, em que há essa miraculosa inocência do paraíso, e, justamente com ela, uma visão altamente imaginativa da vida sobrenatural, – a criança é um motivo de permanente inquietação, como se representasse um prodígio na alma cheia de espantos dos que a trouxeram à vida. Aí ela é uma espécie de compensação de sofrimento; uma espécie de floração, e de prêmio. Não digo que lhe deem a atenção adequada. Mas dão-lhe uma atenção especial, e olham-na com outros olhos, que a desgraça e a dor de certo modo transfiguraram, submetendo-os com admiração à visão da vida em marcha.

Rio de Janeiro, *Diário de Notícias*, 21 de dezembro de 1930

Essa história de Papai Noel...

Todas as crianças amanheceram ontem preocupadas com o que iam encontrar nos sapatos. E, como todos sabem, apesar de a data celebrar o nascimento de um dos grandes defensores da igualdade humana, os resultados verificados na prova prática dos sapatos foram o mais desiguais possível.

Não é isso que vamos pretender resolver aqui, embora acreditemos que a obra da educação tem horizontes infinitos, e esse é um dos problemas que ela está incumbida de pôr nos devidos termos.

Vamos considerar apenas essa história do Papai Noel, personagem maravilhoso que entra invisível no quarto das crianças para lhes pôr presentes nos sapatos.

Se estudarmos o caso, como recomenda Piaget, na sua verificação das representações infantis, acompanhando e favorecendo a revelação desejada sem a sugerir, para não a viciar, observaremos que as crianças não possuem nenhum conceito definido acerca do personagem fabuloso da noite de Natal. À alegria turbulenta e absorvente dos brinquedos a receber, ou recebidos, associam apenas a imagem convencional do velho friorento, de roupa vermelha orlada de arminho, barba branca, saco às costas, que as revistas e os jornais reproduzem, e a família mostra nos anúncios, sorrindo com malícia da inocência dos pequeninos.

Eu creio que o território da imaginação infantil tem uma localização à parte, nas suas faculdades. Está isento de consequências práticas, como se as coisas imaginárias estivessem previamente a salvo de interferências da realidade e do contato com elas. Assim, as histórias maravilhosas parece-me que se acumulam, junto com os sonhos e as visões indefinidas da criança, uma região isolada da sua vida interior; não são absorvidas do mesmo modo que os fatos concretos; referem-se a interesses de outra espécie e não correspondem a uma atividade exterior. Por isso, também, é que, através do meu convívio com as crianças, inclino-me a supor que a ficção do Papai Noel é, para a infância, de natureza vaga e imprecisa, como que diluída numa generalização, e dissipada facilmente pela realidade nítida dos brinquedos. As crianças até cinco ou seis anos não têm preocupação da existência desse personagem, aceitam-no como um nome, uma palavra, – como os nomes dos meses e dos dias.

Avanço isto com a máxima precaução: e gostaria que mães e professoras procurassem interpretar bem a noção de seus filhos e alunos, a esse respeito.

Mas, depois dos seis anos, nos dias de hoje, dificilmente uma criança acredita no personagem misterioso do Natal. E, quando as assalta a primeira dúvida, correm ao papai e à mamãe para lhes perguntarem a verdade. Aí é que se comete o erro lamentável. Porque todos os pais estão convencidos – e com as melhores intenções – de que fazem bem à criança dizendo-lhes que existe esse homem sobrenatural. Muitos, eu bem sei que já não querem dizer a verdade porque têm pena de arrancar da criança o que eles supõem ser uma *deliciosa ilusão*, uma autêntica forma de felicidade – quando nunca se detiveram a analisar como é que funciona a alma infantil e a repercussão interior dessas coisas!

Outros sustentam a ficção com alegria, certos de que estão agindo muito normalmente, *como todo o mundo faz*... (O conforto da rotina...)

Dá-se, então, o seguinte: ou dizem a verdade à criança, ou ela malgrado o segredo, adivinha-a. Mas, de qualquer das duas maneiras, a criança compreende subitamente: *que se pode dizer a alguém uma coisa que não é verdadeira... Que se pode alimentar essa falsidade anos a fio, repetidas vezes, com gravidade e convicção... Que os pais, os parentes, os amigos mais íntimos e mais queridos, isto é, todos aqueles em que ela confia, a quem se abandona, com a sua inocência e a sua pureza são os mesmos que sustentam essas coisas mentirosas...*

Essa é que é a grande desilusão das crianças no dia que descobrem a invenção do Papai Noel... Não é tristeza de perderem uma coisa maravilhosa... E, aliás, há coisas realmente maravilhosas, insondáveis, que se podem dar à criança, se a questão é de coisas sutis... – o movimento dos mundos, a fecundidade da terra, as origens da vida, as cores, todas as leis físicas.

O desencanto, o mudo desencanto dos olhos das crianças que sabem da verdade do Papai Noel é a amargura do contato com os homens, uma presciência da deformação da vida, uma tristeza de ter sido assunto de mofa... Uma consciência de humilhação, e um sentimento de desconfiança... Esse é o ruim presente que os pais colocam nos sapatinhos dos filhos...

Rio de Janeiro, *Diário de Notícias*, 26 de dezembro de 1930

Desigualdades

Há um momento doloroso para os pais que têm ideias sérias sobre educação: é quando seus filhos se põem em contato com outras crianças. Nós vivemos falando em unificação de ensino, em socialização da escola, e outras coisas gerais; mas essa grande preocupação, que está na ideologia contemporânea, que constitui o ambiente vital das gerações de hoje, encontra os maiores obstáculos quando é exposta numa fórmula prática, pelos males radicais oriundos de preconceitos passados e ainda não extintos pela necessária atuação do presente.

Como há uma desigualdade evidente de níveis sociais, verificam-se com facilidade situações desarmônicas quando esses níveis são postos em contato.

Ora, os homens prudentes sabem acautelar-se dessas provas do antagonismo que os separa, isolando-se numa voluntária precaução, desviando as possibilidades de aproximação inadequadas, e selecionando-se, mesmo, por esse instinto de defesa tão inerente à natureza humana.

A criança, porém, é absolutamente isenta de preconceitos; a criança em estado natural estranha as deformações vindas do exterior, mediante a desconfiança e a malícia do adulto.

Porque é assim, há uma espontânea atração da infância pela infância; as crianças estabelecem, com a maior naturalidade, um convívio amplo e fraternal.

Como, porém, já dissemos, os níveis são desiguais; os ambientes variam; e cada criança reflete toda uma atmosfera familiar, inocentemente, com os vícios que a caracterizam e as qualidades que lhe são peculiares.

Os pais, que sabem desses prováveis conflitos que se originam do encontro de crianças com formação distinta, tomam medidas de prevenção: afastam seus filhos dos filhos do vizinho, porque sabem que eles têm maus costumes, dizem coisas impróprias, têm estas e aquelas tendências; não convêm para companheiros das pequenas criaturas que estão preparando com cuidado e carinho especiais.

Todas as proibições feitas à criança, no sentido de evitarem o contato com os camaradas de sua idade, são inúteis e até nocivas.

A camaradagem tende a persistir. Os filhos do vizinho dizem coisas atrozes, imaginam ou praticam coisas mais atrozes ainda. E os pais que estão situados na margem oposta desesperam-se com essa proximidade de elementos perniciosos à educação dos seus próprios filhos... Não tentam resolver a questão: registram-na apenas, e insurgem-se contra ela.

Mas o curioso é que os pais daqueles elementos perniciosos também se consideram prejudicados. Os filhos do vizinho, na sua opinião, têm defeitos maiores que os dos seus filhos: andam limpos, por exemplo, não jogam pedras nas árvores... – são uns presumidos, enfim.

E aí está. A rivalidade permanece. Há muito tempo que é assim. E não sabemos quando acabará.

O mal não está na infância. A criança é sempre uma vítima inocente. Também não está, propriamente, no adulto, que é uma resultante de vários fatores. Está nesses fatores. E só uma organização social que compreende com clareza o que é *educação* poderá transformar semelhante estado de coisas.

Rio de Janeiro, *Diário de Notícias*, 28 de dezembro de 1930

A visão da infância

Se fosse preciso ainda uma vez recordar a diferença profunda que existe entre a infância e a idade adulta, eu convidaria o leitor a relembrar os sítios por onde passou, quando pequeno, e a comparar a impressão que lhe deixavam naquele tempo com a que lhe oferecem agora.

O ambiente em que se desenvolveu a nossa meninice foi visto por nós com olhos tão diversos daqueles que veem depois as realidades do adulto que geralmente sentimos uma enorme surpresa revendo esses mesmos lugares, e achando-os tão mudados.

No entanto, não mudaram, eles. Mudamos nós.

As coisas que vimos outrora tinham outras medidas, uma outra aparência, outros detalhes, outra fisionomia, que já não encontraremos, ainda quando em nada tenham sido alteradas.

Nós as víamos de perto, com um interesse e uma atenção de que já não dispomos. Nossos sentidos, donos ainda de raras sensações, analisavam cada espetáculo, linha por linha, percorrendo-os com verdadeiro deslumbramento, e, nessa encantadora viagem do olhar iam tecendo uma história que foi a primeira legenda, escrita por nós sobre as vidas que encontramos.

Hoje, um inseto é para nós um inseto, apenas, com um lugar determinado na História Natural. Esse mesmo inseto foi um motivo decorativo de infinita beleza nos nossos tempos de criança. Conhecíamos com exatidão o desenho das suas asas, a cor que tomavam, com a luz, o movimento que tinham, a resistência que lhes era peculiar.

Esse obscuro inseto de hoje, que passa pelo jardim sem nos despertar nenhuma especial curiosidade, enfeitou nossos dias luminosos com o martírio da sua leve existência, e, de noite, estendeu nos nossos sonhos a sua prestigiosa passagem, crescendo, alargando o seu voo pelos espaços da nossa imaginação. Chegamos a estremecer emocionados diante dessa mesma pequenina vida que hoje, a muitas de nós, nada mais diz. Grandes ingratos!

Como eram enormes as nossas bonecas e os nossos carros! Se algum deles tivéssemos conservado até hoje, haveríamos de o achar insignificante, e ficaríamos admirados do tamanho que lhe supúnhamos.

Com toda essa diferença de visão, como querer fazer que as crianças sintam o que sentimos? Como querer forçá-las a compreender o nosso mundo, com as proporções que lhe damos? Como arrancá-las ao seu prodigioso cenário, tão diverso deste que em geral se lhe quer impor, como o único autêntico?

Lembra-me agora o fato com uma pessoa conhecida, que, tendo passado a sua infância em Paris, guardava da colina de Montmartre uma inesquecível impressão. Essa impressão tornava a seus olhos todos os morros cariocas insignificantes.

Um dia, a pessoa voltou a Paris, resolvida a averiguar a altura de Montmartre, para tirar a limpo as apostas feitas com meia dúzia de amigos. Oh! Como Montmartre tinha ficado pequena! Que se teria produzido, durante a sua ausência?

Tinha havido, realmente, uma grande transformação. O menino se fizera homem. As dimensões dos objetos tinham sido reduzidas por essa evolução.

Se chegássemos a super-homens, neste mundo, ou outro, com interesse de outra espécie, com faculdade de outro quilate, como veríamos as realidades de hoje, que são para nós tão indiscutíveis e definitivas?

Rio de Janeiro, *Diário de Notícias*, 20 de janeiro de 1931

O mal de ter sido criança...

Este título pode parecer absurdo. No entanto, também tem a sua razão de ser. Este mundo anda tão errado que até o fato admirável de já se ter sido criança pode constituir motivo de agravo para a nossa vida.

Há criaturas para quem a criança de outrora não deixa nunca de ser criança. Se isso fosse no bom sentido, isto é, se nos continuassem a considerar puros, inocentes, bons, interessantes etc., segundo o moderno critério de julgar a infância, muitíssimo agradável seria, na verdade, o conceito. Mas todos sabem que a infância, para a maioria, continua sendo, ainda, – e cingindo-nos estritamente ao seu próprio vocabulário, – palavra sinônima perfeita de *peste, diabo, coisinha-ruim*...

De modo que, quando alguém diz assim com a ponta do beiço – "Ah! eu o conheci pequenino assim, deste tamanho..." – a gente subentende logo o resto do pensamento, que é pouco mais ou menos assim: "Assisti a todas as suas diabruras, suas birras, suas gazetas... Não vale nada..."

E dessa maneira se reduzem, muitas vezes, as criaturas de mais valor, a uma expressão de inutilidade, em geral completamente injusta.

Os psicólogos de hoje sabem muito bem por que a infância é, quase sempre, rebelde, altiva, insubmissa e aparentemente cruel. Sabem mesmo *qual* a parte da infância que assim é: a dos temperamentos mais definidos, a dos que sabem defender suas qualidades e seus interesses, com obstinada energia, das tentativas de invasão do seu mundo, pela vontade dos adultos.

E a esses que tiveram uma tal infância é que mais frequentemente se acusa, com essa espécie de paternal lembrança que é uma disfarçada injúria: "Oh! eu o conheço desde pequeno..."

São os nossos condiscípulos fracassados, aqueles bem-comportados que decoravam a História do Brasil e desenrolavam os "carroções" de aritmética, embora para não saberem, depois de adultos, nem observar os fatos não da História escrita, mas da História vivida, nem desenrolar o "carroção", muito mais difícil, da existência, com esta mistura fantástica de algarismos e de operações...

São os nossos professores que conheciam tão bem o sujeito das orações, e por isso nos olhavam com tamanho desprezo, e, à força de se ocuparem com esses sujeitos e predicados, entalados na gramática, nunca chegaram à compreensão, nem sequer à descoberta, dos outros sujeitos e predicados que estão agindo no mundo...

São os nossos velhos vizinhos, que já naquele tempo tinham a sua bronquite e liam almanaques, que nunca passaram da sua janela com a almofada no peitoril e o pano de crochê na cadeira, enquanto nós íamos e vínhamos calcando o rijo chão, numa prova de esforço que só quem a faz sabe quanto custa...

Um dia, finalmente, chegamos a grandes. Fizemos várias coisas. E é natural que entre tantas coisas, alguma nos conduza a um lugar de destaque.

Justamente nesse instante aquela lembrança que dormitava nos respectivos cérebros como um gato enrolado, arqueia o dorso e mia a sua opinião...

E como naquela célebre história do marido que pôs um ovo, e no dia seguinte a aldeia inteira o soube, – também no dia seguinte a cidade toda sabe esta coisa tremenda: que já fomos pequenos! que já passamos pela infância!

A notícia – é inacreditável! – causa tamanho assombro, como se já se tivesse visto existir alguém que nascesse adolescente ou ancião!...

Já fomos pequenos – o grande escândalo!

Isto significa, aproximadamente: que não tem importância o que pensamos, o que dizemos, o que sentimos... Pois se já fomos crianças!

Porque a verdade é esta: só se lembram com orgulho da infância, e compreendem a sua evolução e lhe dão crédito os que sempre a viram com alegria, que a amaram como a esperança de um triunfo qualquer da humanidade, e souberam aguardar nas vidas ainda esboçadas, com encanto e respeito, o que um dia pudessem vir a ser definitivamente.

Rio de Janeiro, *Diário de Notícias*, 22 de fevereiro de 1931

Como as crianças pensam

Tive, há dias, ocasião de ouvir uma conversa de crianças, que me pareceu muito interessante.

Duas meninas, uma de cinco, outra de sete anos, estavam na sua mesinha jantando.

A menorzinha encontrou um grão de feijão na sopa, e disse para a outra:

– Quando eu tiver uma semente de feijão, vou plantar no meu canteiro.

A outra acabou de engolir a sua colherada, passou o guardanapo na boca, e replicou:

– Feijão não tem semente. A semente é ele mesmo.

A pequenina não entendeu, e tornou:

– Então, como é que ele pode nascer, sem semente?

A outra, depois de pensar um pouco, explicou:

– Eu acho que é mesmo a terra que, um dia, vira feijão.

– Mas sem ter havido nenhuma semente, antes?

– É, mesmo sem ter havido. Ela vai se juntando, juntando, juntando, e fica assim num grão...

E procurou pelo prato, para ver se encontrava mais algum.

A menorzinha não se conformou muito com essa transformação abstrata. Foi tomando a sopa, e pensando.

Depois de um pedaço de silêncio, reatou a conversa.

– Olha, também pode ser assim: *um homem* faz uma bolinha pequenina, *pequenininha* de massa... Depois, pinta por cima. Fica o primeiro feijão. E depois, os outros nascem...

A outra menina perguntou imediatamente:

– E com que é que ele faz a massa?

A pequenina pensou um pouco, e depois resolveu:

– Pode ser com batata...

– Mas batata não é feijão, concluiu a outra.

Aproximei-me com precaução para ouvir mais. As duas, porém, perceberam, talvez, que estavam sendo surpreendidas no seu pensamento, e, com esse horror que as crianças merecidamente votam aos adultos – e pensando, decerto, que eu sou como os outros todos, – começaram a beliscar um pedacinho de pão.

Ora, essa conversa, dirá o leitor, é uma insignificância. Depende. Depende da aplicação que dela se fizer, e da revelação que, por seu intermédio, se conseguir obter da alma da criança.

Aliás, há muito tempo, ouvi uma conversa semelhante de uma criança que perguntava a outra como é que se faziam os ovos das galinhas.

Guardei a receita, e só lastimo não poder ter guardado, também, a graça com que ela foi pouco a pouco formulada, essa graça inimitável das criancinhas que descobrem uma coisa maravilhosa ou que vão inventando aos pedacinhos, de acordo com os seus conhecimentos cuidadosamente aplicados.

– Para fazer um ovo, dizia a criança, primeiro, é preciso ter um pedaço de papel. A gente vai enrolando, enrolando, enrolando...

Aqui, ela fazia um movimento com os dedos, indicando o processo. Mas acontecia que era tão evidente a impossibilidade de fechar o papel como a casca do ovo, que ela resolveu fazer por partes. E explicou:

– Enrola-se assim, e fica uma tigelinha. Depois, enrola-se de novo, e fica outra tigelinha. Dentro de uma a gente põe um pozinho amarelo com um bocadinho de água, pouquinha, só para grudar... Senão voa...

Não é preciso dizer que a outra criança está completamente embevecida com a explicação.

– Depois, na outra tigelinha, a gente põe água, para fazer a clara. E fecha as duas tigelinhas.

– E, como é que a galinha põe? – pergunta a ouvinte.

– Ah! depois, a gente abre o bico da galinha, e dá o ovinho pra ela engolir. Depois ela bota... Está aí.

Eu gosto de ouvir as crianças conversando, porque elas são absolutamente como os poetas. Não conhecem obstáculos à sua imaginação.

Mas, os adultos, esses adultos pretensiosos e insuportáveis de que o mundo está composto na sua maior porção, esses não querem saber da conversa encantadora da infância. Querem conversar sobre negócios, sobre política, sobre coisas piores ainda.

E se encontram uma criança que se propõe contar-lhes qualquer descoberta dessas, dizem logo com voz grossa e impura, voz sem claridade, voz sem luz espiritual:

– Cala a boca. Deixa de estar dizendo tolices! Vai fazer outra coisa! Sai daí!

Rio de Janeiro, *Diário de Notícias*, 24 de março de 1931

A infância e os preconceitos

Naquele maravilhoso livro que é o *Mijail* de Panait Istrati, lembro-me de ter encontrado uma passagem extremamente sugestiva para os educadores que a cada instante desejam descobrir um aspecto da alma infantil.

É quando Adrian, entusiasmado com o misterioso amigo que o Destino acaba de lhe apresentar à porta da pastelaria de Kir Nicolás, sobe com ele ao bairro grego de Karakoy, onde o sábio, o profundo, o impressionante Mijail costuma repartir as gulodices que vende com as crianças, – únicas criaturas, diz ele, que o não chamam de *piolhento*, isto é, únicas que veem debaixo daqueles andrajos de filósofo incógnito uma bela alma humana realizada em toda a plenitude...

As crianças se precipitam pela ladeira abaixo, cercam-no, olham para Adrian, o seu novo amigo, e uma delas evidentemente menos generosa que as outras, pergunta a este último:

– Falas grego?

– Falo.

– Mas não és grego?

– Não, sou romaico.

– Que pena!

– Por que "pena"?

– Porque a nossa nação é grande.

Interrompamos aqui.

Já nesta primeira parte do trecho se sente a alma da criança revestida de um preconceito: o de encontrar limites entre as terras e estendê-los até as criaturas, separando-as por nacionalidades.

Poder-se-ia, com boa vontade, supor ainda que o pequenino grego de Karakoy submetesse sua opinião a um critério de grandeza que o fizesse lastimar os homens que não pertencessem ao seu povo por uma opinião prévia sobre a sua própria excelência.

Mas essa criança sabe dizer alguma coisa mais dolorosa para os que a observam com atenção.

Adrian diz-lhe:

– És de uma grande nação mas vens comer o nosso pão...

E o pequeno, imediatamente:

– Nunca! É massa para porcos!

Agrava-se aqui a situação da criança.

Já não é apenas a sua grandeza que ela afirma, é também a inferioridade alheia que proclama. E isso é triste e feio, na alma de uma criança, como um fruto colhido verde. É uma deformação precoce. É um pensamento de adulto mal aderindo a um cérebro jovem, e um sentimento de coração envelhecido instalando-se sobre um coração novo como uma oxidação voraz.

As crianças que foram desde cedo conduzidas a amar tudo que as rodeia com a naturalidade de quem se encontra na terra num convívio a que é necessário oferecer toda a força da simpatia e da solidariedade, para que o mundo não se converta num inferno, não poderão jamais estabelecer paralelos tão cruéis como o desse pequenino grego, nem entre povos nem entre indivíduos.

O espírito da moderna educação, que é um desarmamento espiritual, e uma esperança de paz inviolável, repousa nesse amor humano sem limites e sem descontinuidade.

Não justifiquemos certas observações duras e amargas da infância, alegrando-nos em descobrir nelas um desenvolvimento mental que, em certos casos, é apenas uma ameaça, em vez de uma esperança.

Não digamos que a criança observou bem, e que, portanto, é preciso sustentar a sua observação. Ela julgou pela superfície, como em geral fazem os adultos. E, possivelmente, seguindo a linha que os adultos lhe deixaram, algum dia, para caminho do seu pensamento.

Precisamos fazer a criança olhar até o fundo da vida. E ela só o poderá fazer quando possuir, em seu coração, uma grande generosidade para tudo quanto se acha em redor da sua existência, e em qualquer dimensão do espaço.

E, para que seja assim, precisamos, nós mesmos, ser generosos também, e donos de um coração tão claro como o sol e capaz de realizar o milagre de não produzir noites nunca, mas sempre dias fulgurantes e permanentes.

Rio de Janeiro, *Diário de Notícias*, 1º de abril de 1931

Elas...

Elas vêm de tal modo impregnadas de liberdade, elas surgem na vida com uma espontaneidade tão clara, com uma simplicidade tão límpida e definitiva em todos os seus gestos, em todas as suas atitudes, em todos os seus movimentos, que constituem um terrível escândalo neste cárcere em que nós outros já perdemos essas mesmas qualidades, que um dia foram também nossas, mas que os adultos de então nos foram arrancando dolorosamente, gritando coisas que não entendíamos e que na verdade não têm existência digna de ser respeitada: interesses mesquinhos, conveniências, preconceitos, ilusões estreitas, com rótulos graves de moral e dever...

Elas não acreditam nessas palavras, não as compreendem, não as aceitam. Porque elas não precisam de obedecer a dogmas, para serem puras, pois já são a própria pureza; não precisam de palavras que escondam os defeitos, porque aparecem perfeitas; não precisam de nenhum artifício porque são apenas verdade.

Mas, como o peso do ambiente é mais forte que toda a tenacidade da sua heroica resistência infantil, assim mesmo sem acreditarem, sem compreenderem e sem aceitarem, elas são forçadas a sucumbir sob a imposição violenta, obstinada, constante, das razões do adulto, exercendo sobre elas, com toda a largueza dos seus instintos de domínio, uma tirania que, desgraçadamente se supõe apoiada na rigidez das virtudes e nos ditames das experiências que podem ter sido as de uma geração, mas... certamente não vão ser mais das seguintes, – porque a eternidade da vida tem esta coisa singular: não repete os seus aspectos...

Elas poderiam criar um mundo mais verdadeiro, mais puro, mais de acordo com o sentido primordial da natureza. Elas são a vida em princípio e, apesar de todas as heranças que já carreguem em si, chegam diante de nós como se não tivessem passado, como se fossem apenas esperança, como se tudo, depois delas nascesse também outra vez, livre, infinito, admirável.

Mas suas perguntas mais profundas têm respostas horríveis. Ou insignificantes ou mentirosas.

Suas manifestações mais espontâneas são recebidas com uma hostilidade inesperada e amarga.

Seus primeiros pensamentos são encaminhados por um rumo que é o dos lugares-comuns, velhos e tediosos como ruas escuras.

Seus primeiros sentimentos são limitados segundo medidas cautelosas de avareza.

Elas, que vêm repletas de possibilidades intermináveis, transbordando ritmos, riqueza, vibração, alegria, têm de viver dentro de um círculo pequeno, contra a mesquinha curva, do qual o mais leve atentado é um tremendo crime.

A vida delas é assim.

É assim a vida das crianças. Foi assim a nossa, e a dos nossos antepassados. E a dos nossos sucessores também há de ser igual, se não tivermos hoje, todos nós, que somos responsáveis por elas, este heroísmo de as defender contra os nossos próprios interesses, contra o nosso sossego, contra as nossas conveniências, contra a falsidade da nossa existência que esmaga impunemente a sua incomparável e admirável vida.

Rio de Janeiro, *Diário de Notícias*, 13 de junho de 1931

Os olhos observadores da infância

Andei lendo há pouco um livro de Stefan Zweig, o grande escritor austríaco que une a uma prosa cintilante, seletíssima, cheia de raridades delicadas, um forte poder de análise psicológica, uma fina, segura e profunda investigação da alma humana, como convém a um amigo de Freud, o tão ainda incompreendido sábio...

Este livro – *Erstes erlebnis* – não é novo em data. Foi publicado em 1911. Mas é novo, novíssimo em visão psicológica. Primeiras aventuras do coração humano. Primeiras experiências afetivas. Tempestades emocionais. O tumulto das paixões acordando na adolescência. A inquietude indefinida, a versatilidade dos sentimentos; o pudor da vida que se descobre a si mesma e, não obstante, ainda não se entende; o combate angustioso das alegrias e tristezas que jazem, lado a lado, nesse enorme mistério que somos nós todos, como um espetáculo alucinante para a nossa introspecção.

Ora, entre as várias novelas do livro, eu me interessei principalmente pela "Die gouvernante", em que erra a inquietação de duas meninas, observando entre susto, assombro e indignação uma passagem misteriosa da vida afetiva da sua governante, tratada com dureza e incompreensão pelas outras pessoas da casa.

Essas duas meninas trocam ideias sobre os fatos que desconhecem, mas que a sua sensibilidade adivinha; espreitam os ruídos dos aposentos; procuram ler os pensamentos nas transformações fisionômicas dos circunstantes, observam os vestígios dos dias que passam; indagam dos silêncios e rebuscam o sentido das palavras; andam, enfim, viajando por difíceis caminhos entre aqueles limites do lar, sem que ninguém em torno suspeite dessa atividade profunda e secreta.

A crise sentimental da governante, pelas suas consequências fatais, determina uma atitude na dona da casa, atitude ríspida de expulsão da pobre mulher, vítima de uma fraqueza passional.

E é nesse ponto que a indignação das meninas chega ao apogeu, e que se manifesta o seu juízo severo sobre as criaturas que as cercam, e a sua amargura profunda, irremediável, infinita, quando se sentem sozinhas, depois de perderem a sua governante, não apenas porque a tenham perdido, mas porque o seu primeiro olhar lançado para o mundo que as aguarda, mergulha numa sombra aflitiva, em que as criaturas deslizam num jogo de máscaras inquietante e hostil.

Todas as considerações dessas duas meninas diante dos fatos ocorridos no lar, o horror que delas se apodera pelos próprios pais, a delicadeza com que procuram atenuar o sofrimento da governante, – tudo isso passado na meia obscuridade, imprecisa, confusa, mas suficientemente dolorosa, da sua vida interior mal desabrochada, – merecem, decerto, a atenção dos educadores e dos adultos em geral, tanto mais que não se trata apenas de uma literatura de romancista, mas de uma literatura de psicólogo finíssimo, acostumado a ter nas mãos o segredo complexo da vida.

Esta pequena novela nos mostra de uma forma inesquecível a tragédia despercebida da infância que observa com olhares agudos o panorama vulgar e quase sempre injusto da existência de todos os dias.

Mostra-nos a interpretação desses ambientes que parecem ignorar a presença das crianças, mas que as crianças perscrutam em todos os sentidos, absorvendo-lhes cada irradiação, cada ritmo, cada detalhe, por vago e discreto que seja, assimilando-os, interpretando-os, estabelecendo-os na sua vida interior, e deles extraindo os motivos quase sempre incompreensíveis que vão depois orientar a sua conduta e constituir a sua própria atitude no mundo em que têm de agir definitivamente.

Rio de Janeiro, *Diário de Notícias*, 17 de junho de 1931

Direito à vida

Eu tinha acabado de ler um drama soviético, o *Venceste, Monatkof!*, de Steinberg, e tinha-me enternecido com a preocupação dessa gente agitada que, preparando um golpe revolucionário, considera com aflição o destino a dar às crianças da cidade, num dos dias rubros de 1917.

Essa inquietação pela criança, que vem de tão remotos tempos, e que é hoje a razão de ser dos grandes movimentos educacionais e, por isso mesmo, o mais forte fator da civilização futura; essa inquietação que aproxima Cristo e Lenine num mesmo grito, um chamando-a a si, outro defendendo-a numa das horas mais trágicas e maiores que já tem vivido o mundo; essa inquietação que assim revela a medida dos espíritos e o tamanho dos ideais deve hoje sofrer um verdadeiro estarrecimento nos corações que a animam, diante desta dolorosa notícia de uma criança que caiu de fome, numa rua dos nossos subúrbios, por ter vergonha de pedir esmola.

Esta vida absorvente que ora levamos não deve impedir que a sensibilidade humana – e esta bela sensibilidade brasileira, principalmente – se detenha sobre este pequeno motivo repleto de sentidos profundos, quer na sua procedência, quer na sua repercussão.

A cidade anda cheia de pedintes. O gesto de dar uma pequena esmola a essa multidão de enfermos, aleijados, sem trabalho, e mendigos profissionais, tem já qualquer coisa de tão inútil, mesquinho, insignificante, que a gente se envergonha de lançar um níquel no fundo de um chapéu ou na concha de uma desgraçada mão. Para quê? De que serve isso? Que socorro autêntico pode levar a uma vida miserável o tostão que se lança de boa vontade à abandonada desgraça desses infelizes?

E junto a essa turba de adultos que rondam as esquinas, que dormem à porta dos palácios, ou nas pedras duras e frias das calçadas, uma outra multidão ensaia também o seu gesto ainda tímido para comover melhor o coração do transeunte.

As ruas estão cada vez mais cheias de crianças-mendigas. Quando não pedem, simplesmente, uma esmola, para si ou para os pais, servem-se do estratagema desse pobre menino que perambula à noitinha pelo centro da cidade, dizendo sempre isto:

– Quer comprar um cartuchinho de amendoim?

O passante apressado ou por não lhe interessar a mercadoria, ou para não quebrar a elegância, resmunga que "não", e vai andando. Mas o pequeno apressa o passo, e diz com uma voz artificial, preparada para surtir efeito:

– Então, quer me arranjar duzentos réis, para meu pai que está desempregado?

Não se trata, pois, de um vendedor, mas de um mendigo disfarçado... Assim vai sendo atirada a infância para um futuro imprevisível, açoitada pela necessidade...

Mas o menino que ontem desfaleceu de fome possuía alguma coisa que, dentro dele, o advertia a não pedir. Tinha vergonha de mendigar. Pense bem nisso o leitor. Essa delicadeza íntima, esse pudor, esse recato da alma, que tanta gente, infelizmente, não possui mais, não é, na verdade, um dom de alguns, apenas. Não. É um dom de todos. É um dom humano. Apenas, alguns o perderam, forçados pelas circunstâncias, outros, malgrado as circunstâncias, são capazes de o defenderem até a morte e até de morrer para o defenderem.

Estas crianças que, hoje, nas ruas da cidade entontecida com os seus espetáculos, a sua política, os seus sonhos e as suas realidades temporárias passam despercebidas na sua íntima tragédia pelos transeuntes atarefados, que apenas protestam com uma palavra dura contra a importunação inesperada, essas crianças tiveram também, primitivamente, essa energia secreta de resguardar sua alma dos aspectos inferiores da vida, até o momento em que o ambiente as levou a essa espécie de degradação.

Entre a criança que caiu, para não pedir, e as que pedem, para não cair, fica-se sem saber quais as que realizam em si maior quantidade de desgraça.

Mas o que não se pode deixar de sentir bem claramente, diante de umas e outras, é a responsabilidade que tem o país para com elas, a gravíssima situação de um povo que não pode acautelar a sua infância nem sequer da fome, quando esse direito de viver já nem sequer é apenas um direito humano, mas de tudo também que vive e pela simples razão de viver!

Rio de Janeiro, *Diário de Notícias*, 20 de junho de 1931

O convite para a vida

Cada dia aprendemos alguma coisa. Cada dia aprendemos alguma coisa com as crianças, se as soubermos observar, amar e compreender.

Esta menina de cinco anos que foi visitar uma fábrica de cerâmica e depois me deu suas impressões a respeito, encontrou um sentido para a vida que muitos adultos pretensiosos, fúteis, ignorantes, ainda não encontraram nem à sua própria custa nem à custa de todas as bibliotecas. E provavelmente mesmo não encontrarão jamais, pelo menos nesta encarnação.

A menina chegou-se a mim, muito contente com a sua descoberta. E disse-me, descrevendo a cena com as mais vivas cores:

– Sabes. Naquela fábrica, os moços trabalham como se estivessem brincando. Um pega numa *coisinha*, põe um pozinho dentro, e dá ao outro. O outro faz assim, tira outra vez, e passa de novo para o outro. É sempre assim. Bonito, mesmo! Tal qual uma brincadeira. Sabes? Eu gostava de trabalhar naquela fábrica!

Fiquei pensando num drama de Tagore – tão lindo! – aquele drama que se chama *O carteiro del-rei*, em que o menino enfermo ouve passar o vendedor de queijinhos, e fica sonhando ser vendedor de queijinhos também...

As crianças têm essa qualidade admirável; sabem ver a vida com uns olhos puríssimos, que tiram os limites do espaço, do tempo, das personalidades, e reduzem tudo a um jogo maravilhoso, a um baile do espírito muito diverso deste baile de máscaras em que lá vamos, dia por dia...

Uma criança que brinca não é apenas, como muitos leitores podem pensar, um alívio para os pais... É uma coisa muito grandiosa, quase sempre desapercebida de todas as circunstâncias.

Uma criança que brinca é alguém que está mergulhado no próprio infinito, nesse infinito de onde os adultos foram arrancados, alguns à força, outros insensivelmente, e ao qual muitos ainda podem regressar de novo, por um supremo esforço da sua atividade em reconquistar o estado de harmonia perdido.

Uma criança que chega a ver no trabalho de um operário, – nesse duro trabalho que muitos executam com íntimo rancor, outros com desenganada inquietude, outros com dolorosa contrariedade, – um jogo, um jogo lindo, que ela mesma queria jogar também, é, positivamente, um motivo para conjecturas interessantes.

Por que não seremos crianças como essa criança? Por que não veremos na vida e em tudo quanto ela exige de nós, por penoso que seja, por muito que nos custe, por mais que nos faça sofrer, um jogo, um jogo de lances ora suaves ora mais difíceis, mas um jogo, enfim, em que podemos continuar jogando, não nesta precária existência de alguns anos sobre a terra, mas até naquela outra existência sem terminação que começa onde os homens acabam, e onde se encontram os deuses?

Vamos jogar este jogo da vida. Vamos ser crianças como as crianças. Pode ser que ainda não seja tarde. As crianças não sabem disso de ser tarde, nem do ontem nem do amanhã. Vamos pensar no hoje, nesta presença que, sendo um ponto de passagem entre o passado e o presente, é, ao mesmo tempo, a mais absoluta Eternidade.

Vamos achar que é bonito isto de ir passando para trás os dias e as noites. Que é maravilhoso isto de estar vivendo, mesmo sem saber para quê... Vamos ver, com os olhos de Tagore, essa Divina Criança, a misteriosa fantasia, com os enredos, peripécias, a ilusão dos cenários dos personagens e dos espectadores – que todos estamos desenvolvendo dentro do mundo e do tempo, por onde ronda o velho pensamento brahmânico, como um guarda fantástico, com a sua milenar candeia, iluminando...

Rio de Janeiro, *Diário de Notícias*, 23 de junho de 1931

O ambiente infantil

Essa questão do ambiente infantil está claro que não se limita, apenas, a um certo cuidado com a beleza que circunda a vida física da criança, – mas a sua vida total. É uma atmosfera ilimitada que adere a cada atividade infantil, acompanhando-a em todos os seus movimentos, em todos os seus deslocamentos, em todas as suas variações.

E esse ambiente deve ser tanto mais vigiado quanto menos proposital estiver sendo, isto é, nas coisas que não são preparadas para a criança, naquelas que não a visam diretamente, naquelas que constituem o interesse dos adultos é que se deve andar com mais precaução, para não se dar o caso de um choque entre ambientes, o que, lamentavelmente, viria dar à criança uma prova da inconsistência, da fragilidade, do artificialismo daquele que lhe ofereciam...

Porque, na verdade, que vale estarmos dispondo com todo o cuidado as mais belas coisas para dirigirmos a atividade estética da criança por um rumo favorável, se logo a seguir perturbamos os resultados disso com um pensamento menos belo, que nos venha a escapar pelo gesto ou pela voz?

Que vale andarmos cercando a criança de elementos puros, atraentes, simpáticos, se não somos também um elemento assim, e, de súbito, com uma imprudência de quem não está ainda perfeito e não pode controlar a sua imperfeição, lhe apresentamos o espetáculo detestável de nós mesmos, daquilo que recalcamos por medo ou vergonha, até o momento em que explodimos por um fenômeno de imperfeição também?

Da criança tudo se pode esperar de bom. Ela traz consigo um tal poder de realizar o *melhor* através dos próprios exemplos de contraste, que é possível que até desses choques violentos possa extrair uma nova energia para a edificação da personalidade que lhe desejamos.

Mas como somos tão ignorantes ainda de todos esses fatos interiores, como ainda não vemos com absoluta nitidez a maneira por que se equilibram todas essas desarmonias exteriores na sensibilidade delicadíssima da infância, melhor será que nos acautelemos.

Que tenhamos esta coragem superior de fazer um esforço para melhorar também, em vez de andar sempre aconselhando as crianças, e lastimando-nos do pequeno resultado dos nossos conselhos.

Nós estamos completamente desmoralizados aos olhos da infância. É bom pensar nisso. Uns fazem cara devota, contemplam as estrelas, e dizem palavras compungidas. Mas... mas logo depois tratam o próximo como os próprios animais não se tratam entre si. Quando é que se está convencendo a criança? No primeiro ou no segundo momento? Outros fazem discursos a seus filhos sobre as qualidades dos adultos, elogiando-os como se, realmente, fôssemos os donos da perfeição. Infelizmente, os jornais estão cheios de crimes de todas as espécies, sempre cometidos por esses tão louvados adultos; a História – esse grande jornal dos tempos – está repleta de guerras, de calamidades, de abominações praticadas exclusivamente pelos adultos. É com esses exemplos que podemos assegurar à criança uma convicção a respeito da nossa superioridade?

Oh! como estamos sendo todos os dias ridículos aos seus olhos! E se a sua boca dispusesse de facilidade verbal para exprimir tudo quanto assoma ao seu coração, tudo quanto lhe sugere aquilo que somos, na sua opinião, sentiríamos todo o peso dos nossos defeitos, e talvez nos arrependêssemos e nos procurássemos corrigir...

Mas as crianças ainda têm essa qualidade que nos falta: olham, observam, sentem, e não dizem.

Pequenas esfinges que se movem em redor de nós. Pequenas esfinges que não dizem. Como a outra: "Decifra-me!" Oh! mais do que as de pedra, estas sabem que os adultos não gostam de fazer nenhum esforço interessante e gratuito... Por isso, também não dizem sequer: "... senão, devoro-te!"

Talvez sintam, quem sabe?, que elas é que vão sendo devoradas, por este egoísmo que as tiraniza, por este abuso criminoso de força estúpida...

Rio de Janeiro, *Diário de Notícias*, 24 de junho de 1931

Pela criança!

O clamor que ora se levanta da Inspetoria de Higiene Infantil, para combater a assustadora cifra de mortalidade que está destruindo gerações inteiras do Brasil, precisa ser ouvido com muito interesse não só pelos pais e professores a quem, por assim dizer, este problema está mais diretamente afeito, como por todas as criaturas que se supõem conscientemente situadas em relação à vida, e sentem a responsabilidade que lhes cabe na sua organização total.

Cada vez que se perde uma dessas pequeninas criaturas, por miséria, por ignorância, por negligência, por abandono, deve-se refletir que não é apenas um certo filhinho que uma certa mãe perde. Precisamos ver as coisas com olhos mais amplos. É a humanidade inteira que perde uma possibilidade de manifestação; é a própria vida que é prejudicada pela nossa incúria, é o próprio ritmo universal que desfalece, com a abolição de uma energia que ele próprio tinha trazido à superfície da criação.

Não culpemos as mães descuidadas. Elas são um produto do ambiente geral. Esse ambiente principia em nós mesmos, em cada um de nós, que não temos bastante cautela, ou bastante coragem ou bastante previdência para prepararmos o meio em que vai ser recebida cada uma dessas pequenas vidas sacrificadas.

Todos nós, homens e mulheres, somos um pouco culpados por essa mortalidade alarmante, ainda quando ela não sobrevenha diretamente em nossos próprios filhos. Todos nós os que podemos com uma palavra, com um ato, com um conselho ou com um exemplo influir em torno de nós e o deixamos de fazer por amor à comodidade, desinteresse ou ceticismo.

A Inspetoria de Higiene Infantil, que tem a dirigi-la uma personalidade interessadíssima pelos problemas de seu cargo, vai tomar medidas enérgicas para enfrentar a mortalidade infantil que vem assolando o nosso país como uma epidemia silenciosa e invisível.

Mas a Inspetoria de Higiene Infantil não poderá ser completamente eficiente se os seus trabalhos não forem coadjuvados por todas as criaturas de boa vontade que compreenderem a importância dessa campanha e se resolverem a dar-lhe todo o seu esforço.

É preciso que cada um dê um pouco de si para essa grande obra comum que será a salvação da infância brasileira, tão gravemente comprometida, até aqui.

Eu creio, mesmo, que, se não fosse querer demais, deveríamos tratar não apenas de combater a mortalidade, mas de defender ativamente a vida infantil, o que não é propriamente a mesma coisa. Creio que não se deve apenas acautelar a vida, da morte, *mas afirmar a vida para que se desenvolva totalmente*. E, se é verdade que essa obra é uma continuação da primeira, nem por isso deixa de ter suas mais profundas raízes na primeira infância.

Não digamos que é demasiado. Tenhamos fé nas possibilidades da força, da inteligência e dos impulsos do coração.

Acreditemos nos homens. Acreditemos também nas mulheres, e pensemos que cada feminista dessas que agora se reúnem no presente congresso, com tantos intuitos, decerto excelentes, pode, se quiser, ser um centro de inspiração para um trabalho que, partindo do interesse pela infância, abarca, verdadeiramente não só toda a pátria, mas toda a vida, e é, por isso mesmo, imortal.

Rio de Janeiro, *Diário de Notícias*, 30 de junho de 1931

A criança no lar

Os que se interessam pela vida da criança chamam dia a dia a atenção dos pais e dos professores para uma imensidade de problemas concernentes à infância, ainda quando esses problemas se revistam de uma aparência quase pueril, que se presta, aliás, a comentários pouco ponderados e a gracejos superficiais, e quase sempre irritantes.

O problema da criança no lar, por exemplo, não é um problema ocioso. No entanto poucas pessoas o contemplam com a devida gravidade, e pouquíssimas se sentem com a coragem necessária para o resolverem.

Sem falar da questão do ambiente propício à criança, sem falar nas influências contraditórias que sobre ela se exercem, ao mesmo tempo, emanadas de vários membros da família, cada um dos quais se supõe com mais autoridade que o outro para a encaminhar para um dado destino (e só os conflitos daí resultantes mais a sua repercussão na alma infantil dariam para um tratado), quero hoje chamar a atenção do leitor para os dois casos estudados por um ilustre médico francês, e que são o da criança tiranizada e o da bajulada no lar.

A criança tiranizada, que não se pode mover, nem brincar, nem agir, nem falar senão a horas certas, em momentos determinados, quando tem ordem dos pais, é, segundo esse autor, uma candidata à timidez, ao fracasso moral e material, em perversões diversas, que concorrem para agravar o quadro dos resultados futuros dessa nefasta influência doméstica.

A criança bajulada que ensaia e exerce a sua tirania sobre a família, para mais tarde a ensaiar e a exercer sobre a humanidade é um fenômeno que se poderia dizer o reverso do anterior. Ela provém desses meios de débil organização, que, por um capricho, por uma vaidade qualquer, por uma defeituosa compreensão da finalidade educacional, e dos seus processos, colocam aos pés da criança todas as adulações, todos os mimos, por inacreditáveis e ridículos que sejam, firmando-lhe assim uma almazinha de régulo, que quer, mais tarde, pairar sobre a vida, derramando seus mais absurdos poderes, sem outros intuitos que o de se sentir obedecida ou temida.

Na criança tiranizada, abatida por sofrimentos, entregue à vontade malvada ou inconsciente do adulto, este ilustre autor, com a sua responsabilidade de antigo chefe de clínica da Faculdade de Paris vê um terreno propício até ao sadomasoquismo, e lamenta que talvez provenha de certos conceitos religiosos essa tendência para educar fazendo sofrer, sem pensar nos efeitos desse sofrimento precoce. A recente confissão do "Vampiro de Dusseldorf" é de certo modo um documento terrível, sobre o assunto.

Quanto à criança adulada, que quer fazer valer sua força, o autor nos apresenta um exemplo interessantíssimo de certo menino de onze ou doze anos que, tendo perdido seu pai na guerra, entendeu que devia ser dali por diante o chefe da casa. Começou a ler livros importantes, instalou uma biblioteca preciosamente encadernada, diante da qual só deixava passar as pessoas da família à hora que lhe convinha, e assim mesmo nas pontas dos pés...

Entre esses dois maus caminhos para a educação da infância, o caminho certo espera que os pais o descubram e o percorram.

Ele é um caminho harmonioso, que não diminui a personalidade em formação, mas também não a exagera, – o que seria igualmente nocivo. Por esse caminho não vêm nem déspotas, nem escravos. Vêm criaturas humanas, com todas as suas qualidades elevadas ao máximo, e os seus defeitos reduzidos ao mínimo.

Rio de Janeiro, *Diário de Notícias*, 5 de julho de 1931

A imaginação maravilhosa da infância

É porque nós, desgraçadamente, já andamos esquecidos; mas, quando fomos pequenos, tivemos também essa maravilhosa imaginação com que qualquer criança deslumbra o mais requintado poeta.

Nosso mundo foi feito de coisas prodigiosas: os milagres das fadas, os encantos dos bruxos, toda a mágica das histórias mais assombrosas foi sempre para nós muito verossímil, porque tínhamos em nós uma força misteriosa geradora das mais extraordinárias possibilidades.

Talvez porque convivíamos mais diretamente com a natureza, e a natureza é por si mesma assombrosa: depois de ver uma borboleta voar, uma flor desenrolar-se do botão, uma semente transformar-se em planta, um passarinho sair do ovo e mais tarde cantar, uma estrela revelar-se, depois de feita a noite, um campo encher-se de pirilampos, as nuvens crescerem, unirem-se, viajarem, desfazerem-se, – com que é que se vai admirar uma criança?

E éramos tão senhores da vida, com todos os seus cenários e as suas aparências, acreditávamos tanto na eternidade profunda das coisas, malgrado as suas superficiais e parciais extinções, que a morte era para nós qualquer coisa enganosa, que os adultos não tinham ainda encarado bem, que ainda não conheciam de perto e só por isso, com certeza, não sabiam ainda vencer...

Aquilo que se chamava educação, aquela acomodação ao ponto de vista vulgar, comum, estandardizado do adulto de cabeça preguiçosa, que resolveu possuir verdades – feitas, – porque dá muito trabalho criar outras mais belas e, por isso mesmo, mais verdadeiras, – aquele processo de sufocação do nosso espírito centro de um limite de anos, e com um fim antecipadamente disposto, deu em resultado esta humanidade que somos, bem diferente da que poderíamos ser, se nos continuássemos a desenvolver com aquela vocação para o infinito que foi a característica da nossa infância.

No entanto, a ciência, a realidade mais friamente positiva que existe, é cada vez mais uma espécie de comprovação experimental das adivinhações espontâneas da infância.

Cada vez mais parece que aquela frase: "A vida é um pensamento da juventude realizado na idade madura" precisa começar a ser enunciada assim: "A vida é um sonho da infância transferido para mais tarde..."

Porque a infância traz encerradas em si todas as condições superiores do destino humano. Ela mesma não sabe disso: porque a sabedoria tem qualquer coisa de inconsciente. Mas vivem dentro dela todas as capacidades da vida, por mais difíceis, inacreditáveis, longínquas e indefiníveis que sejam.

As crianças têm sempre uma auréola para dilatar mais a órbita de qualquer realidade. Às vezes perdem-se nessa auréola. E dizem-lhes, então, que estão mentindo... Ah! esses adultos banais...

Não sabem que elas dominam todos os impossíveis... Que são, mais ou menos, como aquele chinês a quem quiseram deslumbrar, um dia, mostrando um aeroplano, e que se limitou a dar de ombros, dizendo: "Que tem isso de extraordinário? É um papagaio com um homem dentro..."

Rio de Janeiro, *Diário de Notícias*, 15 de julho de 1931

Os donos da criança

Ontem, os jornais publicaram um telegrama do interior com a notícia de crianças levadas por uma mulher à prática já muito perfeita de roubos.

Às vezes, tem-se, na verdade, a impressão de que o Brasil não é mais do que selva. Selva completa. Os casos vêm por todos os lados: são pais que oprimem os filhos, que os exploram, que os violentam, que os assassinam, antes de se suicidarem, enfim, que fazem dos filhos o que entendem porque estão convencidos de serem seus donos.

Esse é o mais lamentável erro dos pais. O seu mais desgraçado egoísmo. Porque ambos engendraram uma criatura, pai e mãe se acostumam a crer que essa criatura é propriedade sua, e, como tal, sujeita, pela fatalidade do nascimento, aos mais vários caprichos dos proprietários.

Trata-se de mãe solteira? É necessário esconder essa maternidade? Pois é muito fácil. Asfixia-se a pobre criança.

Trata-se de mãe casada? Por qualquer motivo se torna importuno o bebê? Pois que ele seja sacrificado. Ainda não se sabe defender. Não é capaz de lutar com um adulto. Para que nos havia de fazer mais fortes, a natureza? Aproveitemos dessa qualidade tão honrosa! Fora os importunos!

Trata-se de um pai neurastênico? Vamos morrer numa barca da Cantareira. Mas não sozinhos. Precisamos de uma companhia. Que companhia melhor que a de um filhinho que concorra para fazer mais trágica a cena e ajude a sair do mundo mais facilmente o coração do suicida?

Bem, – eu não vou enumerar os casos todos. É preciso deixar ao leitor o prazer de divagar sobre os seus próprios conhecimentos.

O certo é que as crianças servem para tudo. Os casais que brigam pegam nos filhos e servem-se deles para todas as maquinações da sua conveniência. E os que não brigam também.

E, trate-se da simples surra doméstica, sabiamente aplicada à sombra do provérbio que "pata de galinha não mata pinto", ou do vil assassinato executado sob um pretexto qualquer, no qual há sempre lugar para esse egoísmo feroz do proprietário sobre a propriedade, não há entre nós ainda um meio eficiente de, sem papelada, sem perda de tempo e sem literatura, livrar uma criança de um algoz, desses que se consideram os amáveis algozes do lar.

E essa tirania não é só assim positivamente exercida nos casos ruins. Não. Há também os casos aparentemente bons. Os pais que não deixam a criança sair de um perímetro determinado. Por quê? Mais simplesmente porque não deixam. Ora essa! Então um pai precisa justificar a sua vontade? Os pais que forçam os filhos a ser doutor, ou outra coisa qualquer, não porque tenham vocação, mas porque é bonito, ou porque lhes agrada, ou porque *eles tiveram vontade de aprender aquilo, quando foram daquela idade!* Há argumentos assim adoráveis, para a gente colecionar, com a assinatura respectiva.

Opressões assim, geralmente começam pelo nome. Há criaturas infelizes, neste mundo, que se chamam Walter Scott, Chateaubriand, Aliança Liberal etc., e carregam esse infortúnio toda a vida às costas só por uma tirania dos pais, quando elas ainda não se podiam defender...

Havemos de confessar que isso é uma covardia imperdoável.

E por uma covardia dessas é que perambulam também por este mundo, pobres indivíduos inconsoláveis, sem orientação nenhuma, sem responsabilidade, e em completa ignorância, pertencendo a uma determinada seita apenas porque os pais também pertencem a ela. É necessário não quebrar a tradição da família... Podem roubar, mentir, matar... Não tem importância. Mas são daquela seita religiosa... Não é que façam questão disso... hein? Mas aconteceu... São essas coisas da sorte... O pai já pertencia... Criou os filhos assim... E dá tanto trabalho estar pensando... O melhor é deixar a vida correr...

É assim.

Rio de Janeiro, *Diário de Notícias*, 5 de agosto de 1931

Um grande amigo da criança

O dr. Pedro Ernesto começou a sua administração, indiscutivelmente, sob a luz de uma boa estrela.

Teve logo de enfrentar uma crise importantíssima, na Diretoria de Instrução, e atravessou-a com um heroísmo admirável, para chegar ao único resultado excelente, nomeando alguém que será o construtor que vinha faltando à obra educacional num pedaço do Brasil de onde pode irradiar toda a inspiração, todo o fervor e o denodo sem fim para uma obra geral, completa e altíssima.

E, quando ainda a opinião pública não voltou a si da surpresa e da alegria de tão acertado gesto, circula a notícia da fundação de um Hospital de Crianças que é uma segunda boa nova, depois de um ano de revolução, com as esperanças no último alento e uma nuvem de tédio querendo baixar sobre as inquietudes decepcionadas.

A medicina costuma dar um aprendizado de dor que, em certas almas de sensibilidade especial, favorece a visão humana das coisas e solicita do indivíduo uma contribuição consciente de si mesmo nesse movimento de cooperação com todas as vidas da terra.

O dr. Pedro Ernesto tem um aprendizado desses, longo e profundo. Durante muitos anos, têm passado pelas suas mãos – mais do que corpos – corações agoniados e – mais que de doenças – por esse mal de viver dificilmente, ao acaso das circunstâncias, na desarticulação geral dos governos com o povo, que põe de um lado os ricos deslumbrados com a sua riqueza e, do outro, os pobres, humilhados com a simples condição de existir.

Entre os apartamentos da sua casa de saúde e os leitos das suas enfermarias, o dr. Pedro Ernesto, com aquele seu olhar discreto de quem olha e guarda, para depois meditar, deve ter sentido uma porção de emoções diferentes, mas concordando todas nessa necessidade de dar aos homens uma atmosfera que lhes permita a vida, – esse direito que muitos não adquirem pelo simples e formidável ato de nascer...

E o dr. Pedro Ernesto, que tem recebido nas suas mãos tantos corpos pequeninos ainda cobertos do mistério da sua própria sorte, – há de ter sentido outras tantas vezes, no seu coração, essa tortura de assistir à chegada ao mundo daqueles que inocentemente vêm partilhar de uma terrível luta preparada pelos que aqui se encontravam já antes deles...

Tinha por força de ser altamente revolucionário um homem assim que tenha estado tão perto dos homens, e que os tem contemplado com uma silenciosa e compreensiva inteligência.

Assim se explica sua possibilidade de acertar tão bem, e chegar tão depressa e com tamanha finura ao ponto mais difícil de cada problema e resolvê-lo com ágil argúcia.

As crianças receberam um presente que elas mesmas não conhecem. Que os próprios pais não conhecem completamente: um diretor de Instrução capaz de assegurar o desenvolvimento perfeito da educação popular, nos seus mais delicados aspectos.

Recebem agora as crianças um outro presente que se pode avaliar mais depressa, e cuja importância a todos imediatamente se impõe: a fundação de um Hospital Infantil.

Protegidas na sua educação e na sua saúde, as crianças de hoje podem dar-nos a esperança de uma renovação brasileira, firmemente consolidada desde já nos seus fundamentos essenciais.

E o dr. Pedro Ernesto, cercado do justo prestígio que irradiam seus primeiros atos, toma, – ao olhar que o observa com rigor, – o aspecto de um homem que, tendo vivido o suficiente para ver o sofrimento e a alegria, a glória e a decadência, e, entre esses dois polos extremos, a dificuldade de equilibrar a condição humana, – se define como o maior amigo da humanidade, fazendo-se um grande Amigo da Criança.

Rio de Janeiro, *Diário de Notícias*, 21 de outubro de 1931

As crianças abandonadas

Não há muitas coisas emocionantes como uma criança abandonada. E é curioso que, quando, por um lado a abandonam, por outro surgem logo criaturas caridosas que se oferecem para a proteger. E aqueles mesmos que abandonam umas protegem outras, tão complicada é a vida humana e tão difícil de se conter dentro de qualquer interpretação.

Há sempre nos indivíduos um desejo maior ou menor de sentirem a sua superioridade. E infelizmente, a maneira mais fácil de o satisfazerem é aplicando-a sobre a inferioridade alheia.

Nesse gosto da caridade vai muito do sentimento vaidoso e sensacional de ser maior ou melhor, indiferente à humilhação provocada ou sustentada para esse efeito.

Por isso a caridade floresce tanto, e é de tão ruim espécie, e produz resultados tão deploráveis.

Há pouco estiveram em cena as pobres crianças entregues à compreensão pouco esclarecida do juiz de menores. Felizmente que o seu caso já despertou uma corrente de opinião contrária às medidas simplesmente policiais que em geral se adotam para a infância desvalida, sem muitas vozes sinceras que proclamem os seus direitos, e outras tantas mãos enérgicas, decididas a cumprirem-nos.

É detestável essa caridade que se exerce como uma virtude premeditada, que calcula os benefícios que determina menos para o que a recebe do que para o que a pratica, e em cada socorro que leva, leva também o peso triste do desgosto de quem fica sentindo a sua inferioridade, pela emoção que a sua desgraça despertou, e a resposta que essa emoção transmitiu.

Essa maneira de ver as coisas talvez pareça a muitos uma sutileza desnecessária no trato geral da vida. Mas é que a vida não admite um trato geral, e outros particulares. Ela é toda ela mesma. Os preconceitos é que têm vindo estabelecendo atitudes especiais para a resolver, de acordo com variadas convenções.

As crianças abandonadas não devem ficar sendo um motivo mais ou menos sentimental, para as senhoras e os senhores elegantes que gostam da palavra filantropia e acham muito interessantes os chás beneficentes, onde se faz esmola por acaso, sem ter que estar pensando nessas coisas da vida, e podendo ser útil mesmo brincando, como o menino do Passeio Público.

Toda essa caridade, aliás, é completamente precária, porque as crianças abandonadas, as de mais triste abandono não são essas que andam pelas ruas e que todo mundo vê... Os filhos incompreendidos, os filhos que não encontram em seus pais a necessária paciência e a simpatia para os escutar e atender; os filhos que ficam na sombra da cena familiar porque há outros ostensivamente preferidos, com ou sem merecimento; os filhos que não são respeitados nem no seu simples valor humano; os filhos que são um desespero e um lamento para os pais sem vocação e sem responsabilidade, todos esses estão muito mais abandonados que as crianças livres que apenas precisam aprender a usar da sua liberdade.

E uns e outros dispensam cuidados caridosos. Precisam apenas de uma educação que lhes dê segurança de serem sós, – educação que deve ser a mesma dos não abandonados, – uma vez que o abandono pode chegar em qualquer hora, e cada criatura deve ter a capacidade de heroísmo suficiente para se bastar, sem orgulho e sem aflição, pela força com que se vem sozinho à vida, e com que se torna a ir sem companhia para a morte.

Rio de Janeiro, *Diário de Notícias*, 4 de fevereiro de 1932

A tristeza de ser criança

Isso de ser criança é mesmo uma coisa, às vezes, muito triste.

Pois os senhores não estão vendo o que aconteceu ao filhinho de Lindbergh? A pobre criança tem só vinte meses e está doente. Mas mesmo assim os raptores acham que ele pode ser estimado em cinquenta mil dólares, e por isso, tirando-o do berço onde se debatia com um forte resfriado, deixaram em seu lugar uma carta com a proposta para o resgate.

Há mais de cem mil pessoas empenhadas em descobrir o paradeiro da criança. E é impossível que toda essa gente não chegue ao resultado pretendido. E como, além disso, o próprio Lindbergh está disposto a pagar o resgate proposto, podemos todos ficar tranquilos, porque a criança, a estas horas, esteja onde estiver, não deve correr o menor perigo. Os autores do rapto estão mesmo, com toda a certeza, cumprindo as recomendações que a sra. Lindbergh teve a ideia de divulgar pelo rádio sobre a dieta do seu bebê. E providenciarão para que ele tenha a horas certas, o leite, os vegetais e o suco de frutas indispensáveis ao seu tratamento.

Eu por mim estou tão certa da fidelidade com que serão respeitadas essas disposições – cinquenta mil dólares já representam uma parcela de certo interesse – que até me animo a brincar um pouco com esse caso que está perturbando a América, e já fez com que o próprio ministro Calles determinasse uma enérgica vigilância na fronteira, para impedir que a loira criancinha venha a ser escondida no território mexicano nessa primeira aventura da sua vida, talvez a única de que ficará sendo, para sempre, absolutamente irresponsável, na mais maravilhosa inocência.

E brinco também porque me lembro das outras aventuras das outras crianças... Não é verdade que todos nós fomos um dia raptados, levados para longe da nossa vida, arrancados de um ambiente que devia ser nosso, mas não foi, e começamos a correr mundo, na aventura complicada e imprevista de quem vai passando o seu ainda ignorado destino por mãos alheias, muito menos cautelosas que as dos raptores do menino Lindbergh?...

Menos cautelosas porque não deixaram atrás o preço do nosso sequestro. E porque nem todos nós temos, também, a sorte de valer cinquenta mil dólares...

Todos nós fomos andando, de pequeninos, por um caminho desconhecido, entregues a professores desatentos, ou pouco dispostos a ouvir as recomendações do regime de que dependia a nossa vida melhor.

Também nem sempre tivemos vozes que avisassem que era preciso respeitar a nossa indefesa infância. Somos todos tão diferentes... A sorte procura ser vária sempre... E é tão necessário transigir um pouquinho com ela...

Mas, depois de ter brincado o suficiente para o leitor não ficar muito emocionado, eu queria deixar aqui o meu protesto quase silencioso contra os atentados de que é vítima a infância. Esse, de Lindbergh, e os outros...

Não é, aliás, nenhuma coisa transcendente, que revele qualquer qualidade excepcional: até o bandido Al Capone manifestou, da prisão, o seu pesar por esse rapto misterioso, e o seu desejo de participar das buscas. Se fosse possível, está claro.

Rio de Janeiro, *Diário de Notícias*, 5 de março de 1932

A criança e a educação

Se um educador de hoje tivesse, algum momento, a inquietude de estar pensando com a sua vontade sobre o livre-arbítrio da criança, eu creio que a força espontânea da vida se encarregaria de lhe tirar essa preocupação, e a própria criança lhe revelaria a sua posição mais certa, na experiência difícil e delicada da educação.

Quando se está de fora, toda a variedade de técnicas, com que se procura chegar a um fim melhor, causa, a princípio, confusão e atordoamento. E quando se pensa na inabilidade das mãos que a possam governar, tem-se uma sensação nítida de perigo, como diante de uma vida que se vê na iminência de desaparecer, devorada por uma engrenagem.

Mas a criança é um poder tão extraordinário que enfrenta sozinha todas as coisas aparentemente maiores que ela, e inibe todas as violências e é capaz de deter todos os erros, antes até de ser alcançada por eles, sempre disposta a não sucumbir, ainda quando não sabe ao certo o que é triunfar.

Porque o certo é que, quanto mais se sucedem as experiências em torno da infância (e poder-se-ia dizer em torno do homem), o que mais claro resulta é a liberdade da vida. Dentre os dados que se querem exatos e indiscutíveis, o que se extrai como verdade final é a mobilidade, a incerteza, a variação contínua de tudo, em redor da sua unidade, que é individual e geral.

Todas as realidades que se pretendem fixar numa forma limitada e única parece que são sempre infiéis à vida: a vida se move livremente, sem obstáculos e sem temores, sem fadigas e sem repetições, constantemente diversa; e o seu milagre é o de não se esquecer jamais de si, o de sempre se reconhecer, por dentro de todas as máscaras, e de guardar aquela silenciosa origem, profunda e inalterável, para além de todos os movimentos, malgrado a volubilidade das superfícies.

Enquanto, por um lado, se tentam todas as pesquisas e se procura chegar a um ponto rigoroso na definição de problemas educacionais – quando não na sua satisfatória solução – por outro, o mundo em torno do qual giram esses problemas continua livre e isento, escapando sempre ao assalto de todos os pensamentos, – pela sua natural condição, – correspondendo-se apenas mediante reações fugitivas com as investigações que de fora o percorrem.

Poder-se-ia, desse modo, dar por inútil o trabalho que se realiza com tanto afã, na descoberta da infância?

Não, decerto, – porque as respostas que se buscam nunca se poderiam receber inteiras e completas para exprimirem o íntimo sentido da vida que se estuda. Elas têm de vir aos pedaços, entrecortadas pelo tempo, aparentemente contraditórias, aparentemente inaproveitáveis, até, – mas guardando os laços de coerência que se vêm reproduzidos na extensão total do mundo, entre os acontecimentos igualmente diversos, estranhos mas verídicos, que sustentam as formas e os tempos da criação.

E é assim que se salva a infância.

Se a educação pudesse chegar a um determinado número de fórmulas que a aprisionassem, tudo estaria perdido, pela substituição da vida vivente por um artifício arbitrário e perigoso que seria a sua deformação.

A criança, intervindo sem querer, passivamente – digamos – defendendo-se, apenas, e sem o saber, de todas as experiências que em redor dela se fazem, realiza esta coisa admirável de se revelar sem se trair, e de dar ao trabalho penoso, realmente, e infinito, dos educadores, o gosto de saber que em todas as suas incertezas está realmente a definitiva certeza, e, no meio de tantas dificuldades, a glória de tocar na substância autêntica da vida.

Somente, para isso, há necessidade de uma vocação decidida para conhecer os elementos e as suas metamorfoses, e uma esperança infatigável, e um fervor religioso, com o esquecimento de que todas as horas são breves, e o sonho sempre ardente de, no mistério mais longínquo da vida, alcançar aquele ponto de eternidade que é a alegria do conhecimento, e sem o qual não se encontra sentido nesta passagem do espírito pelos horizontes da terra.

Rio de Janeiro, *Diário de Notícias*, 19 de abril de 1932

Brincando de escola

À noite, na minha rua, as crianças costumam brincar de escola. Fazem-no, certamente, com mais naturalidade por não desconfiarem que sou esta criatura terrível que escreve todos os dias uma coluna de jornal com a mania de ver se conserta o mundo ou, pelo menos, transmite aos seus leitores a coragem de o consertarem.

Digo assim porque estas crianças, brincando de escola, inocentemente, sem saberem quem sou, fazem-me revelações assombrosas do que veem em redor de si, do seu ambiente diário, da professora que as serve, das coisas que aprendem e que não aprendem, e – mais do que tudo – da quantidade de preconceitos que ainda estão pesando sobre os destinos da Escola Nova, desta Escola Nova de que tanta gente tem vontade de dizer mal, sem saber ao certo por quê.

Ora, as crianças brincam.

Uma é a professora, e esforça-se por imitar o modelo que vê todos os dias na classe.

Mas acontece, às vezes, não o conseguir imitar bem: e então as outras crianças protestam, e ensinam-lhe como deve fazer, e, se acaso insiste em não acertar, há uma revolta geral, e destituem-na do posto que ocupava.

E o engraçado está em ver como as crianças interpretam o seu modelo.

Para os pequenos da minha rua, fazer bem o papel de professora consiste, mais ou menos, no seguinte: possuir uma voz bem alta, bem fina, desafinada e nervosa. Aplicá-la com energia, a propósito de tudo, energia que quase sempre é uma exagerada indignação; gesticular desvairadamente, com evidentes desejos de transformar o gesto em agressão gratuita; exigir muita coisa dos alunos: margem no caderno, livro forrado, braços cruzados, silêncio absoluto, imobilidade perfeita.

Esse é o tipo da "classe ideal", e as crianças sabem-no: mas nem brincando conseguem realizá-lo sem esforço.

E, como o não conseguem, a professora, repetindo o seu modelo, põe-se a usar de todas as penalidades a que pode recorrer: põe os alunos no canto da sala, resolve levá-los à diretora como "insubordinados", resolve expulsá--los, resolve, enfim, ver-se livre deles por qualquer processo sumário que lhe permita manter a classe no estado espectral por que a concebe a sua fantasia.

Como as crianças estão apenas brincando, esforçam-se por se libertar das impertinências acumuladas durante o dia: como se essa brincadeira fosse já, e ainda voluntariamente, um prelúdio para a emancipação do sonho.

De modo que, a que faz de professora, leva até o extremo do ridículo o modelo que está imitando; e as que fazem de alunos dão largas às suas travessuras, realizando, naquela classe especial, todas as coisas que não podem fazer na verdadeira, até o máximo de irreverência e atrevimento.

Não acredito que as crianças se divirtam mais do que eu com o que estão fazendo, convencidas de que se divertem...

Mas acredito que, às vezes, eu e elas perdemos, ao mesmo tempo, a noção da realidade, e, na mesma ilusão, estremecemos, pensamos que estamos entre as paredes da escola... De uma horrível escola...

Tão horrível, tão do passado, tão impossível nestes tempos de renovação que, de repente, me vem a ideia de filmar aquilo, para mostrar às gerações de agora o suplício das que passaram e estão passando, para lhes dizer o que querem estas criaturas de hoje, que ainda recordam dolorosamente os tempos tristes que viveram na sua infância, com professores que não lhes conseguiram deixar saudades – a coisa mais bela da vida, e a mais infinita.

Rio de Janeiro, *Diário de Notícias*, 22 de abril de 1932

Proteção à criança

No programa dos trabalhos realizados pela Liga das Nações, no corrente mês de abril, figuram as reuniões da Comissão de Estudos do Tráfego de Mulheres e Crianças, da Missão de Educação recentemente chegada da China, e a da Comissão de Estudos sobre o Bem-Estar Infantil.

Não será inoportuno chamar a atenção do público, principalmente, para esta última reunião do Instituto de Genebra, a que estão entregues os problemas mais sérios do mundo: por ela se verá que, realmente, a ideologia que sustenta a Escola Nova, tão levianamente considerada ainda por alguns, constitui um interesse mundial; corresponde a uma intenção grave e justa; representa uma aspiração nascida de necessidades profundas, e orientada para uma finalidade suprema, e da qual depende a própria vida, porque a vida, afinal, está nas mãos das crianças.

O professor uruguaio Carlos T. Gamba fez, há tempos, uma conferência dedicada aos pais de família, especialmente com o fim de lhes mostrar por que se impõe a renovação escolar, e o que significam todas as ambições atuais da escola, relativamente à proteção da liberdade infantil.

Nessa conferência ele contava que, estando uma vez na cidade de Mercedes, viu um senhor empenhado em satisfazer os desejos de uma netinha, e, como alguém estranhasse ver pessoa tão grave dominada por uma criatura tão frágil, ouviu-lhe também esta resposta: "*Es verdad, me manda esta ninita; nos mandan, debemos decir; no sé si para bien o para mal, pelo lo que sé es que nos mandan*".

O conferencista partiu do exemplo desse avô, perfeitamente feliz servindo a netinha – dominado por ela, ainda que sem saber se para bem se para mal – e chamou a atenção dos pais a que se dirigia para as torturas que a criança vem sofrendo, desde todos os tempos, sempre que é incompreendida e desamada.

E com palavras comoventes se referiu aos crimes que insensivelmente se praticam contra a infância, e de que são prova as crianças delinquentes, vagabundas, mendigas, analfabetas, a que se juntam ainda as exploradas pelo trabalho precoce e as mal orientadas na definição vocacional.

Os adultos que olham de longe, do mundo dos seus interesses, e que não podem ou não querem baixar a vista ao mundo em que todos os dias se elaboram os dias novos do futuro na vida da infância, não sabem o que é isto de ser criança e estar sofrendo de qualquer desses males, sem falar nos inúmeros outros que se embalam ainda no sono do espírito, sem forma definida e sem rumos certos.

A vida da criança é um mistério tão grande que ninguém a deveria tratar com mãos desatentas ou negligentes. Ela e o mundo estão intimamente unidos, como o ar e a respiração. Qualquer coisa que toque a infância abala o mundo, – desta ou daquela maneira, e muitas vezes irremediavelmente, sem que se saiba, até o ponto que esse irremediável tenha alcançado, e o que daí posteriormente vai decorrer.

E há crianças que sofrem. E há crianças que ninguém sabe como sofrem. Porque a infância traz por cima de si um ornamento de alegria que brilha ainda, embora quando não há mais claridade em seu coração.

E às vezes aparecem criaturas que pensam ser muito bondosas, e se resolvem a proteger a infância, esperando fazê-la feliz. E chegam até a ser sinceras... E inventam várias fórmulas para resolver essa suposta felicidade. Fórmulas de gente grande: de quem está vendo sofrer, apenas; de quem não sofre mais assim. Fórmulas sem compreensão. Talvez bonitas. Mas inúteis. A criança continua para além, com o seu sofrimento.

Os educadores de hoje é que poderão tentar a fórmula certeira para esse sofrimento injusto, que vai gastando a vida em sua origem. Uma fórmula que não seja ditada nem pelo sentimentalismo da piedade nem pela frieza do dever, mas que traga aquele cálido gosto, e a doçura e a verdade infinita das obras nascidas de um sobre-humano amor.

Rio de Janeiro, *Diário de Notícias*, 27 de abril de 1932

Favorecendo a criança brasileira

A mortalidade infantil, entre nós, é ainda problema de difícil solução, e que preocupa a todos os que se interessam pelo destino nacional. As crianças que se conseguem salvar são quase uma exceção na abundância das mortes, e, se os serviços de proteção à infância vêm prestando inestimável auxílio, ainda estamos longe da aquisição daquela consciência no trato com os recém-nascidos, que pode fazer de cada mãe o melhor defensor da vida de seus filhos. Nesse sentido, a educação da mulher brasileira precisa ir muito além do nível atual. E só quando essa educação estiver completa poderemos acreditar na formação harmoniosa de um povo que ainda é tão constantemente sacrificado na parte mais imprescindível de si mesmo, que é a conservação da própria vida física.

A dra. Irene Drummond publicou agora um livrinho que se chama *Cartilha da maternidade*. É um trabalho simples e essencialmente prático destinado às mulheres que se preparam para ser mães. A autora explica seu intuito, na apresentação, quando diz:

> O melhor conselho que se deve dar à mulher que não pode ter no parto a assistência do médico ou da parteira diplomada é a hospitalização.
>
> Isto, porém, nem sempre se conseguirá, ou porque nos faltem maternidades, se o conselho for aceito por todas, ou porque muitas não saberão avaliar o benefício que recusam.
>
> É para este número de desamparadas ou inconscientes que escrevo estas linhas, com o objetivo de preparar a futura mãe, ensinando-a a se defender contra a má sorte de uma assistência ignorante.

Acontece, porém, que, sendo principalmente um livro para as mães, a *Cartilha da maternidade* traz, também, tantos conselhos úteis à vida do recém-nascido que os benefícios da sua leitura serão duplos. Escrito numa linguagem que se fez o mais vulgar possível para poder penetrar todas as camadas populares, este pequeno volume representa um esforço louvável, principalmente em um país como o nosso em que são raras as obras de divulgação, feitas especialmente para serem entendidas pelo grande número [de pessoas], sobre assuntos, como este, de interesse fundamental.

Por isso mesmo, o dr. Oliveira Motta, que o prefacia, diz:

> Nunca será excessivo elogiar e recomendar um livro como *Cartilha da maternidade* que, tão bem-feito e cheio de bons ensinamentos, vai contribuir sem dúvida alguma para a redução de uns tantos por cento na mortalidade infantil. O Departamento Nacional de Saúde Pública deveria distribuir gratuitamente ou por um preço bem reduzido *Cartilha da maternidade* nos seus postos pré-natais às gestantes que os procuram e às curiosas que são hoje a maioria das parteiras no Brasil.

Eu não conheço nem a dra. Irene Drummond nem o dr. Oliveira Motta. Mas conheço a miséria de inúmeros lares que a ignorância torna mais miseráveis e mais infelizes. E conheço os perigos que corre a vida dos recém-nascidos entregues a mãos inábeis, desatentas ou sem amor.

Este livrinho é uma advertência às mães para que deem a seus filhos o inteligente carinho que merecem. O carinho inteligente. Porque há também um carinho que mata.

E porque este livrinho é um auxílio à vida dos pequeninos, aqui ficam estas palavras de simpatia para quem o escreveu.

Rio de Janeiro, *Diário de Notícias*, 10 de maio de 1932

Um por todos e todos por um

As reclamações que de vez em quando surgem sobre pequenos detalhes do ensino revelam que nem todos ainda se convenceram de que a obra educacional tem de ser feita dentro de um equilíbrio harmonioso de interesses, de modo que todos recebam o máximo de vantagens e se obriguem ao mínimo de sacrifícios.

O que se vê mais diretamente é aquilo que fere os nossos interesses imediatos: precisamos ter uma tranquilidade de visão capaz de nos permitir, por detrás das pequenas coisas desagradáveis que por acaso nos aconteçam, o benefício coletivo que delas talvez resulte e que, na verdade, as justifica.

Não é, decerto, porque o seu filho não conseguiu ser matriculado numa escola que um pai deve dizer que a Nova Educação não presta. Nem porque a escola está um pouco distante da sua casa, nem porque haja este ou aquele serviço que, não correspondendo, propriamente, a nenhuma necessidade de seu interesse, não deixa, por isso, de ter uma profunda importância para os alunos em geral.

Os pais devem aproximar-se da escola. Devem procurar entendê-la, conhecê-la, antes de a julgarem. Só assim terão certeza do que puderem dizer.

Se a Nova Educação tivesse algum propósito que não fosse estritamente de interesse coletivo e superiormente humano, não desejaria ser conhecida assim de perto, não procuraria fazer a sua propagação em todos os meios – definindo-se com nitidez, pedindo a cooperação de todos, as suas sugestões e o seu concurso.

Seria uma obra secreta, fechada, inacessível e tirânica.

Mas a escola moderna é, ao contrário, francamente aberta ao público. O seu maior desejo é estabelecer o contato de pais e professores, para que ambos deem o melhor e mais bem orientado esforço ao serviço da criança.

Não prescindindo desse entendimento com as famílias, harmonizando com elas os seus pontos de vista esclarecidos e sinceros, a escola moderna deve encontrar no público uma repercussão adequada aos seus intuitos.

Que esse público dê a prova de independência e de critério que a escola exige, pela aspiração em que se empenha de servir à infância. Que esse público ao invés de ir repetindo maquinalmente opiniões injustas e arbitrárias, ou manifestando apenas qualquer evidente rancor por um insignificante (e aparente) prejuízo, tenha a coragem de pensar antes de falar e de verificar antes de pensar. A Nova Educação é uma obra de coragem e desinteresse. É um crime trair uma obra assim.

Rio de Janeiro, *Diário de Notícias*, 7 de junho de 1932

Santos Dumont e a infância

Li ontem num telegrama que o último número do *Candide*, o conhecido jornal de letras francesas, homenageando Santos Dumont, recorda o fato de, por ocasião de um dos seus primeiros voos, ter o glorioso sonhador perguntado a uma criança:

– Queres ir comigo?

E, como lhe respondesse que sim, levou-a até certa altura, – com grande susto da ama que cá embaixo ficara a sua espera.

Esse gesto de Santos Dumont revela uma sensibilidade comovente, – a sensibilidade que só os grandes homens sabem ter pelos habitantes da vida, quando, do alto da sua realização, dos seus trabalhos, das suas derrotas e dos seus triunfos, abrangem com o olhar o conjunto do mundo, e conciliam todas as coisas na síntese de um amor que é, afinal, o dom que faz de si próprios aquela totalidade.

Esse amor é tanto mais glorioso e admirável quando se reflete nas existências humildes: porque aí se sente, em toda a sua profunda beleza, o que é, ao mesmo tempo, a graça de dar e a ventura de receber.

Nunca teria sido a aviação uma conquista mais maravilhosa que nesse instante, quando o homem de gênio, que a realizara, embalado ainda na imaginação de Júlio Verne, a oferecia a uma criança, como um brinquedo encantado, como satisfazendo ali a inquietude da sua própria infância já passada, esquecidas as tentativas empreendidas, o esforço vencido, as experiências ainda em transformação.

E a criança levada assim, como num conto mágico, estava certamente revendo o menino Santos Dumont, – porque a humanidade é, na infância, um grande sonho de difíceis coisas que o desenvolver da vida, vencedora ou vencida, converterá no nosso definitivo destino para a felicidade ou o desespero.

Jamais Santos Dumont terá sido tão assombroso. O aplauso dos admiradores nem sempre é muito grato aos que o recebem. Há uma permanente amargura depois de um grande feito: a da incompreensão latente, no fundo dos espíritos, lá onde as palavras não chegam, onde os indivíduos se fazem incomunicáveis, – exceto por uma sutil intuição, desligada de quaisquer aparências, palpitando apenas na essência de um mútuo acordo, nos tempos de um mesmo ritmo.

Isso é o que Santos Dumont devia ter sentido, nessa criança arrebatada pelos ares, e assombrada com a sua aventura incrível. Terá visto o esplendor do seu sonho florir nuns olhos ainda impregnados da eternidade – essa linguagem da vida universal. Terá sido glorioso, de uma excessiva glória, vendo o seu próprio deslumbramento despontar nessa criança, como quem visse uma auréola surgindo sobre o seu retrato.

Desde aquele dia Santos Dumont teria podido deixar o mundo sem mágoa.

Que recompensa maior pode esperar, e que maior alegria, quem tiver conseguido ser amado, um instante, por uma criança, tê-la deslumbrado como um deus, – inda que a sua divindade fosse meramente fictícia, e estivesse, principalmente, na amplidão cheia de símbolos dos inocentes olhos contemplativos?

Rio de Janeiro, *Diário de Notícias*, 7 de agosto de 1932

Uma sugestão

Nas visitas que ultimamente fizemos às escolas de quatro distritos, tivemos ocasião de verificar o valor do auxílio prestado às crianças pela obra da Caixa Escolar, auxílio que, infelizmente, não se realiza em todos os casos indicados, pela deficiência de recursos com que, em geral, todas as Caixas lutam.

A população pobre que frequenta essas escolas recebe gratuitamente, como se sabe, merenda, calçado e uniforme, além de outras coisas de menor importância. Sucede, porém, que a roupa e o calçado não podem ser distribuídos por todos, simultaneamente: e, quando uns vêm a ser atendidos, já outros, que o tinham sido antes, se encontram na mesma situação premente, sem que, no entanto, possam de novo ser favorecidos.

Como se vê, a boa vontade é muita, mas as coisas materiais têm as suas fatalidades, e as suas imposições, também.

Seria preciso que as possibilidades das Caixas Escolares aumentassem prodigiosamente, ou que as vantagens nas aquisições se fizessem muito maiores, para que um maior número de crianças pudesse ser alcançado pelos benefícios que a Escola lhe deseja oferecer.

No entanto, não se podem exigir sacrifícios ilimitados de todos. Restaria uma fórmula que conciliasse todos os interesses, beneficiando sem prejudicar.

Foi uma fórmula assim que pensamos ter encontrado, percorrendo, no Instituto Nacional de Surdos-Mudos a exposição de trabalhos realizados pelos internos, entre os quais figuram os executados na oficina de sapataria.

Esses trabalhos, pela sua rapidez e simplicidade, estão perfeitamente em condições de servir às crianças das nossas escolas para o uso diário. Ao mesmo tempo, feitos num estabelecimento de ensino, oferecem, possivelmente, vantagens que excluem qualquer competição. Tratando-se de uma obra cooperativa, como a da Caixa Escolar, e visando a uma compra regular e numerosa, é de esperar que as próprias condições comuns de venda fossem suscetíveis da redução que habitualmente se obtém nesses casos.

É claro que tudo isto são sugestões espontâneas, e, por isso mesmo, indecisas, sem nenhuma realidade clara e definida. Pareceu-nos, diante dos trabalhos expostos, que os meninos que, em suas oficinas fazem o seu próprio calçado, poderiam vir a prestar um grande serviço aos seus colegas das outras escolas, facilitando-lhes um benefício de que precisam. A lembrança é, por si, emocionante. E, ao mesmo tempo, essas crianças beneficiadas estariam prestando ao Instituto, além do estímulo do trabalho, uma renda sempre aproveitável, qualquer que fosse o seu valor.

Certamente, se as diretoras das nossas escolas, ou outras autoridades, levando em consideração estas sugestões desinteressadas, de acordo com a direção daquele estabelecimento, se resolvessem a estudar o problema, seria encontrada uma fórmula adequada para o resolver.

A nós bastava-nos a alegria de lhes termos dado oportunidade, – porque conhecemos bem o seu alcance.

Rio de Janeiro, *Diário de Notícias*, 18 de dezembro de 1932

Cronologia

1901

A 7 de novembro, nasce Cecília Benevides de Carvalho Meirelles, no Rio de Janeiro. Seus pais, Carlos Alberto de Carvalho Meirelles (falecido três meses antes do nascimento da filha) e Mathilde Benevides. Dos quatro filhos do casal, apenas Cecília sobrevive.

1904

Com a morte da mãe, passa a ser criada pela avó materna, Jacintha Garcia Benevides.

1910

Conclui com distinção o curso primário na Escola Estácio de Sá.

1912

Conclui com distinção o curso médio na Escola Estácio de Sá, premiada com medalha de ouro recebida no ano seguinte das mãos de Olavo Bilac, então inspetor escolar do Distrito Federal.

1917

Formada pela Escola Normal (Instituto de Educação), começa a exercer o magistério primário em escolas oficiais do Distrito. Estuda línguas e em seguida ingressa no Conservatório de Música.

1919

Publica o primeiro livro, *Espectros*.

1922

Casa-se com o artista plástico português Fernando Correia Dias.

1923

Publica *Nunca mais... e Poema dos poemas*. Nasce sua filha Maria Elvira.

1924

Publica o livro didático *Criança meu amor...* Nasce sua filha Maria Mathilde.

1925

Publica *Baladas para El-Rei*. Nasce sua filha Maria Fernanda.

1927

Aproxima-se do grupo modernista que se congrega em torno da revista *Festa*.

1929

Publica a tese *O espírito vitorioso*. Começa a escrever crônicas para *O Jornal*, do Rio de Janeiro.

1930

Publica o poema *Saudação à menina de Portugal*. Participa ativamente do movimento de reformas do ensino e dirige, no *Diário de Notícias*, página diária dedicada a assuntos de educação (até 1933).

1934

Publica o livro *Leituras infantis*, resultado de uma pesquisa pedagógica. Cria uma biblioteca (pioneira no país) especializada em literatura infantil, no antigo Pavilhão Mourisco, na praia de Botafogo. Viaja a Portugal, onde faz conferências nas Universidades de Lisboa e Coimbra.

1935

Publica em Portugal os ensaios *Notícia da poesia brasileira* e *Batuque, samba e macumba*.

Morre Fernando Correia Dias.

Nomeada professora de literatura luso-brasileira e mais tarde técnica e crítica literária da recém-criada Universidade do Distrito Federal, na qual permanece até 1938.

1937

Publica o livro infantojuvenil *A festa das letras*, em parceria com Josué de Castro.

1938

Publica o livro didático *Rute e Alberto resolveram ser turistas*. Conquista o prêmio Olavo Bilac de poesia da Academia Brasileira de Letras com o inédito *Viagem*.

1939

Em Lisboa, publica *Viagem*, quando adota o sobrenome literário Meireles, sem o *l* dobrado.

1940

Leciona Literatura e Cultura Brasileiras na Universidade do Texas, Estados Unidos. Profere no México conferências sobre literatura, folclore e educação.

Casa-se com o agrônomo Heitor Vinicius da Silveira Grillo.

1941

Começa a escrever crônicas para *A Manhã*, do Rio de Janeiro. Dirige a revista *Travel in Brazil*, do Departamento de Imprensa e Propaganda.

1942

Publica *Vaga música*.

1944

Publica a antologia *Poetas novos de Portugal*. Viaja para o Uruguai e para a Argentina. Começa a escrever crônicas para a *Folha Carioca* e o *Correio Paulistano*.

1945

Publica *Mar absoluto e outros poemas* e, em Boston, o livro didático *Rute e Alberto*.

1947

Publica em Montevidéu *Antologia poética (1923-1945)*.

1948

Publica em Portugal *Evocação lírica de Lisboa*. Passa a colaborar com a Comissão Nacional do Folclore.

1949

Publica *Retrato natural* e a biografia *Rui: pequena história de uma grande vida*. Começa a escrever crônicas para a *Folha da Manhã*, de São Paulo.

1951

Publica *Amor em Leonoreta*, em edição fora de comércio, e o livro de ensaios *Problemas da literatura infantil*.

Secretaria o Primeiro Congresso Nacional de Folclore.

1952

Publica *Doze noturnos da Holanda & O Aeronauta* e o ensaio "Artes populares" no volume em coautoria *As artes plásticas no Brasil*. Recebe o Grau de Oficial da Ordem do Mérito, no Chile.

1953

Publica *Romanceiro da Inconfidência* e, em Haia, *Poèmes*. Começa a escrever para o suplemento literário do *Diário de Notícias*, do Rio de Janeiro, e para *O Estado de S. Paulo*.

1953-1954

Viaja para a Europa, Açores, Goa e Índia, onde recebe o título de Doutora *Honoris Causa* da Universidade de Delhi.

1955

Publica *Pequeno oratório de Santa Clara, Pistoia, cemitério militar brasileiro* e *Espelho cego*, em edições fora de comércio, e, em Portugal, o ensaio *Panorama folclórico dos Açores: especialmente da Ilha de S. Miguel*.

1956

Publica *Canções* e *Giroflê, giroflá*.

1957

Publica *Romance de Santa Cecília* e *A rosa*, em edições fora de comércio, e o ensaio *A Bíblia na poesia brasileira*. Viaja para Porto Rico.

1958

Publica *Obra poética* (poesia reunida). Viaja para Israel, Grécia e Itália.

1959

Publica *Eternidade de Israel*.

1960

Publica *Metal rosicler*.

1961

Publica *Poemas escritos na Índia* e, em Nova Delhi, *Tagore and Brazil*.

Começa a escrever crônicas para o programa *Quadrante*, da Rádio Ministério da Educação e Cultura.

1962

Publica a antologia *Poesia de Israel.*

1963

Publica *Solombra* e *Antologia poética*. Começa a escrever crônicas para o programa *Vozes da cidade*, da Rádio Roquette-Pinto, e para a *Folha de S.Paulo*.

1964

Publica o livro infantojuvenil *Ou isto ou aquilo*, com ilustrações de Maria Bonomi, e o livro de crônicas *Escolha o seu sonho*.

Falece a 9 de novembro, no Rio de Janeiro.

1965

Conquista, postumamente, o Prêmio Machado de Assis da Academia Brasileira de Letras, pelo conjunto de sua obra.

Conheça outras obras de Cecília Meireles publicadas pela Global Editora:

- O Aeronauta
- Amor em Leonoreta
- Baladas para El-Rei
- Canções
- Cânticos
- Crônica trovada da cidade de Sam Sebastiam*
- Crônicas de viagem (3 volumes)
- Doze noturnos da Holanda
- Espectros
- Mar absoluto e outros poemas
- Metal Rosicler
- Morena, pena de amor
- Nunca mais... e Poema dos poemas
- Pequeno oratório de Santa Clara, Romance de Santa Cecília e Oratório de Santa Maria Egipcíaca
- Pistoia, Cemitério Militar Brasileiro
- Poemas de viagens
- Poemas escritos na Índia
- Poemas italianos
- Problemas da literatura infantil
- Retrato natural
- Romanceiro da Inconfidência
- Solombra
- Sonhos
- Vaga música
- Viagem

* prelo

GRÁFICA PAYM
Tel. [11] 4392-3344
paym@graficapaym.com.br